3

Rosi McNab

Heinemann

Heinemann Educational,
a division of Heinemann Publishers (Oxford) Ltd,
Halley Court, Jordan Hill, Oxford OX2 8EJ

OXFORD LONDON EDINBURGH
MADRID ATHENS BOLOGNA PARIS
MELBOURNE SYDNEY AUCKLAND
SINGAPORE TOKYO IBADAN NAIROBI
HARARE GABORONE PORTSMOUTH NH (USA)

First published 1994

94 95 96   11 10 9 8 7 6 5 4 3 2

A catalogue record is available for this book from
the British Library on request

ISBN 0 435 37430 3

Produced by **AMR** Ltd

Illustrations by Claire Attridge, Phillip Burrows,
Jane Cheswright, Joan Corlass, Jon Davis, Maggie
Downer, Hazel McNab, Mal Peet, Lucie Richmond,
Jane Spencer, Stan Stevens, Charles Whelon

Cover illustration by Chris Welch

Printed and bound in Spain by Mateu Cromo

Acknowledgements

The author would like to thank Jacques Debussy,
Evelyne de Vliegher, John Styring, Nathalie Barrabé
and the pupils of the Atelier Théâtre, Rouen, for their
help in the making of this course.

The author and publishers would like to thank the
following for permission to reproduce copyright
material: © **Bayard Presse International** for Jules
Verne: *Voyage au Centre de la Terre*, retold by Serge
Letendre and illustrated by Jacques Denoël and
Evelyne Tranlé (*Je Bouquine* no. 110 avril 1993)
pp.18–19, 42–3, 66–7; **Converse** for the logo p.81;
L'école des loisirs for 'Automne' by Anne-Marie
Chapouton from *Poèmes petits* p.31; **Edi Presse** for
the text p.106; © **Editions Gallimard** for the poem
by Georges Perros from *Poèmes bleus* p.107, and for
the illustrations and extract from Antoine de Saint-
Exupéry: *Le Petit Prince* pp.144–5; **European
Licensing Group** for illustrations from *Bonhomme et
les dames*, p.72; **Fondation Cousteau** for the text and
pictures 'Ma première baleine' from *Le Dauphin*
mars/avril/mai 1990 p.48; © **Glénat** for the cartoon
by Claude Serre from *L'automobile* (1977) p.107;
Jeune et Jolie for Converse text p.81; **John Lemon**
for the three poems p.59.

Photographs were provided by: **AB Productions Ltd**
p.134 Rolles; **Acco–Rexel** p.128; **Allsport** p.86 3B
(Simon Bruty), p.103 (Yann Guichaoua); **Barnaby's
Picture Library** p.28 A, E, p.39 E (K.N. Radford), p.86
4B (Robert Coultas), p.91 no.3, p.143 (Photri);

Campagne Campagne p.10 (1) (Nicole Lejeune),
p.14 (Taurus L.), p.75 (Colomb), p.90 no.1
(Canigher), no.5, p.94 (Taurus L.), p.104 (Michaud),
p.105 no.5 (Brebel); **The J. Allan Cash Photolibrary**
p.10 (3, 4), p.28 B, C, D, p.39 A, C, p.46, p.90 nos 2,
6, p.105 nos 1–4, p.140, p.141; **Chris Coggins** p.52,
p.118; **Jacques Debussy** p.4 B, C, p.24, p.121;
Hulton–Deutsch Collection Ltd p.18, p.86 1A, 2A,
3A, 4A; Reproduction by courtesy of the Trustees,
The National Gallery, London p.139 a; **The
National Museum of Wales, Cardiff** p.139 c; **Philip
Parkhouse** p.52, p.118; **Sue Paton** p.91 no.1; **Rex
Features Ltd** p.11 (Brad Elterman), p.28 F (Wil
Blanche), p.82 Schiffer, Gaultier (Richard Young),
p.86 2B (Janin), p.90 no.3 (Nils Jorgensen), p.91 no.2
(PMD), no.4 (Brendan Beirne), no.5; p.137 Hallyday,
Bowie (NJ), New Kids (EAD); **Roger–Viollet** p.90 no.4,
p.144; **Small Print** p.62 (S.J. Laredo), p.86 1B (Jon
Reed); **John Styring** p.4 F, p.5 no.1, pp.32–33, p.44 A,
p.45; **Sygma** p.82 Farmer (M. Rosenstiehl),
Schwarzenegger (Frank Trapper), p.106 (Gwendolen
Cotes); **The Tate Gallery, London** p.139 b; **Tropix**
p.39 B (D. Charlwood), D (D. Charlwood). Remaining
photographs are by Rosi McNab and Heinemann
Educational Books.

Every effort has been made to contact copyright
holders of material reproduced in this book. Any
omissions will be rectified in subsequent printings if
notice is given to the publishers.

Table des matières

A vos marques!

1 Moi

1

Je m'appelle Pierre. J'ai treize ans. Je suis assez mince et grand pour mon âge. J'ai les cheveux en brosse et je suis myope et porte des lunettes.

A

2

Je m'appelle Sylvain. J'ai treize ans. Je mesure 1,52m. J'ai les cheveux blonds et courts.

B

3

Je m'appelle Céline. J'ai quatorze ans. Mes cheveux sont longs et bouclés. Je suis assez petite.

C

D

4

Mon nom est Amélie. J'ai les yeux bruns et les cheveux bruns, frisés. J'ai treize ans. Je suis assez grande. Me voilà avec mon amie Marie-Claire. Je porte un tee-shirt orange et un jean blanc.

E

F

5

Mon nom est Eveline. J'ai quinze ans. On me reconnaît facilement à mes cheveux mi-longs, raides, et à mes taches de rousseur.

6

Je m'appelle Suliman. J'ai quatorze ans. J'ai les cheveux noirs et frisés. Je mesure 1,65m

1

a Lis et devine. Comment s'appellent-ils?

b Ecoute: Qui est-ce? (1–6)
Si tu devines après une phrase, tu marques trois points; après deux phrases, tu marques deux points; et après trois phrases, tu marques seulement un point!

c A deux: Décris une personne. Ton/Ta partenaire doit deviner qui c'est.

Exemple:

Il/Elle	est	grand(e)/petit(e)
	a	les yeux ...
		les cheveux ...
	porte ...	
Son/Sa ...	est ...	
Ses ...	sont ...	

La Seine à Rouen (en Normandie)
Le marché, Ouagadougou (au Burkina Faso, en Afrique)
L'allée Dumanoir, Basse Terre (à la Guadeloupe, aux Antilles)
Le Mont Blanc, Chamonix (dans les Alpes)
La plage, Le Lavandou (sur la Côte d'Azur)
La Seine à Paris

2 **a** A deux: Devine. C'est quelle photo?

b Ecoute: Où habitent-ils? (1–6)

c Qui est-ce?

A Il habite en Afrique.
B Elle habite aux Antilles.
C Elle habite dans les Alpes.

D Il habite une ville industrielle.
E Il habite au bord de la mer.
F Elle habite à Paris.

3 Prépare et enregistre trois phrases sur chaque personne.
Ton/Ta partenaire doit deviner qui c'est.

Chez toi

Présente-toi! Ecris et enregistre trois phrases sur toi-même.

② *Ma famille*

1 Ecoute: Qui parle, Gwenaëlle, Richard ou Lucie?

La famille de Gwenaëlle

La famille de Richard

2 a Copie et complète le texte.

> *Voici une photo de ma famille. Voici mon* ⬛ .
> *Il est boulanger. Il a les cheveux* ⬛ *. Ma*
> ⬛ *a les cheveux* ⬛ *. Elle porte* ⬛
> ⬛ *et un jean. Ma petite* ⬛
> ⬛ *a les cheveux* ⬛ *. Elle aide mon père*
> *dans le magasin. Ma* ⬛ *aînée a les*
> *cheveux* ⬛ *et elle porte une* ⬛
> *bleue et un gilet* ⬛ . ⬛ *est infirmière. Je*
> *n'ai pas de frère.*

La famille de Lucie

b A deux: Choisis une 'photo' et écris un texte.
Lis ton texte à ton/ta partenaire. Il/Elle doit
deviner quelle photo c'est.

c A deux: Choisis une personne sur une des
'photos' et décris-la.
Ton/Ta partenaire doit deviner qui c'est!

Exemple:
● Il/Elle est/a ... Son/Sa/Ses ... est/sont ...
▲ Ah oui, c'est le/la ... de ...

6

3 **a** A deux: Faites des recherches.
Comment dit-on ces métiers en anglais?

Exemple:
- ● 'Coiffeur', qu'est-ce que c'est en anglais?
- ▲ Je ne sais pas. Il faut le chercher dans le vocabulaire.
- ● 'Chanteuse'?
- ▲ C'est le féminin de 'chanteur'.
- ● Qu'est-ce que c'est que ça?
- ▲ Singer.

Il est	coiffeur	instituteur	infirmier	acteur
Elle est	coiffeuse	institutrice	infirmière	actrice

professeur secrétaire médecin fermier/ière ingénieur footballeur électricien

dessinateur industriel facteur/trice vendeur/se chanteur/se chômeur/se

garagiste boulanger/ère comptable maçon employé(e) de banque

pompier agent de service technicien(ne) de surface entrepreneur notaire

> Il/Elle est au chômage = *He/She is unemployed*

b A deux: Où travaillent-ils?

> un bureau un cabinet médical un magasin un théâtre une école un hôtel
> un collège la rue un cabinet un stade une usine un atelier à la maison ...

Exemple: Le médecin travaille dans un cabinet médical.

c Ecoute: Qu'est-ce qu'ils font dans la vie? (1–5)

4 'Ma famille': Qu'est-ce qu'ils font? Copie et complète.

Exemple:

Mon	père/frère	est ...	Il	travaille ...
Ma	mère/soeur	est ...	Elle	ne travaille pas.

> 'Gardener', comment on dit ça en français?

> Il/Elle travaille à mi-temps/à son compte/à la maison.

Chez toi
Enregistre (ou prépare) un petit rapport sur ta famille, ou sur une famille imaginaire.

③ Ma maison

1 **a** A deux: Lisez ...

> J'habite une maison sur une colline. Mes parents ont acheté cette maison il y a trois ans, à la naissance de ma petite soeur, Maïté. C'était une maison en mauvais état et mon père a beaucoup travaillé à l'intérieur. Il a refait entièrement la plomberie, l'électricité, les murs, etc. Aujourd'hui, c'est devenu une très jolie maison, avec son petit jardin et ses parterres de fleurs de toutes les couleurs. Moi, j'aime bien cette maison, car elle est tout le contraire d'une maison moderne.
> Benoît

... et cherchez les mots que vous ne connaissez pas dans le vocabulaire.

Exemple:
- ● 'Colline', qu'est-ce que c'est en anglais?
- ▲ Je ne sais pas. Il faut le chercher dans le vocabulaire.
- ● 'Naissance'?
- ▲ Ça veut dire 'birth' en anglais.

il y a trois ans = *three years ago*

A

B

C

b La maison de Benoît, c'est quelle maison?

c Ecoute: Laquelle est la maison de Nathalie et laquelle est la maison d'Amélie?

A vos petits dicos!

le lotissement =

la jalousie =

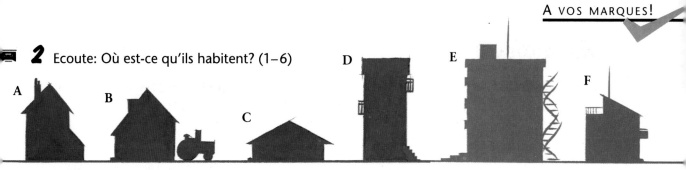

2 Ecoute: Où est-ce qu'ils habitent? (1–6)

3 a A deux: Voici un plan de la maison de Nathalie. Enregistrez une visite de la maison.

Exemple:
Ici, c'est le/la …
A gauche/droite, c'est …
et voici …

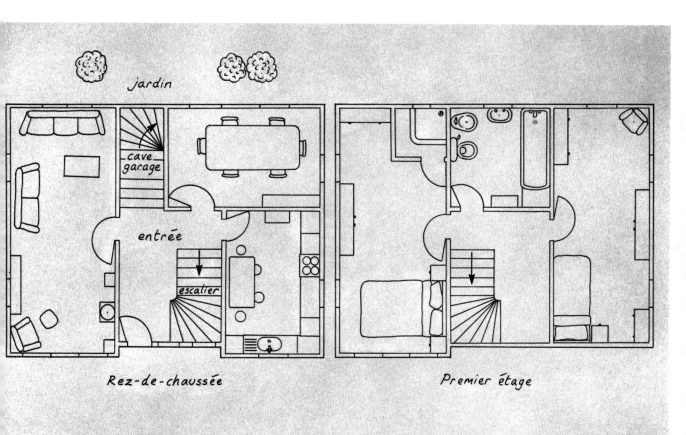

jardin

Rez-de-chaussée

Premier étage

b Prépare une description, ou enregistre une visite de ta maison.

MINI-TEST 1

Can you say at least three things about …?

- yourself and where you live
- your family
- your home

Conseils de Beauté

MAQUILLAGE

Quelles sont les couleurs qui vous vont?

A Si vous êtes brune aux yeux marron, au teint mat:

Les yeux: l'orange, le vert, le jaune ou le rose

La bouche: des teintes très douces; évitez les orangés et les rouges

B Si vous êtes brune aux yeux bleus, au teint clair:

Les yeux: bleu, gris, orange ou mauve, mais jamais de bleu bleu

La bouche: choisissez les rose tendre

C Si vous êtes blonde aux yeux verts, au teint clair:

Les yeux: pêche ou pastel mettent en valeur les yeux verts

La bouche: framboise ou des orangés très naturels

D Si vous êtes blonde aux yeux marron:

Les yeux: choisissez des teintes naturelles comme les pêche, abricot, marron clair; évitez le vert et le bleu

La bouche: de la douceur avec des orangés, marron glacé et rose très pâle; évitez le rouge

Quelles couleurs est-ce que vous leur conseillez?

TEST STAR

Vous avez vu Kevin Costner dans Body Guard, Robin des bois *ou* Danse avec les loups, *mais le connaissez-vous bien?*

1 Il est né le 18 février 1955. De quel signe astro est-il?
   a Sagittaire   **b** Capricorne   **c** Verseau

2 Quel est son lieu de naissance?
   a Dallas   **b** Los Angeles   **c** Boston

3 Quel est le prénom de sa charmante épouse?
   a Cindy   **b** Sandy   **c** Steffy

4 De quelle origine était son grand-père?
   a français   **b** russe   **c** cherokee

5 Que faisait sa femme quand il l'a rencontrée?
   a Elle jouait le rôle de Blanche-Neige à Disneyland.
   b Elle était hôtesse de l'air.
   c Elle était top model.

6 Quelle est la couleur de ses yeux?
   a noisette   **b** vert   **c** bleu

7 Avant d'être acteur, qu'a-t-il étudié à l'université?
   a le marketing   **b** le droit
   c le français

8 Quel est son principal défaut?
   a la timidité   **b** la jalousie
   c l'égoïsme

Le saviez-vous?

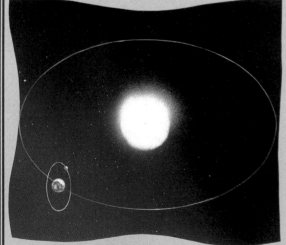

L'année du calendrier compte 365 jours. Mais la terre met 365 jours, 5 heures et 46 secondes pour tourner autour du soleil. Tous les quatre ans, on ajoute un jour au calendrier. L'année bissextile a 366 jours, mais c'est quel jour, le jour en plus?

CHERCHE L'INTRUS

1 a Neptune   **b** Mars   **c** Lune
   d Jupiter

2 a bleu   **b** blanc   **c** jaune   **d** rouge

3 a le kangourou   **b** le boomerang
   c le kiwi   **d** le koala

4 a la Méditerranée   **b** l'Atlantique
   c le Pacifique   **d** l'Antarctique

5 a les vaches   **b** les moutons
   c les poulets   **d** les cochons

6 a Renault   **b** Peugeot   **c** Citroën
   d Ferrari

Prépare des 'CHERCHE L'INTRUS' pour un(e) partenaire.

4 *Rangez sans vous déranger!*

1 a Rappel!
A deux: Qu'est-ce que vous avez dans votre chambre? Faites une liste. Combien de mots est-ce que vous pouvez trouver en quatre minutes?

b Ecoute: Qu'est-ce qu'il y a dans leur chambre? (1–6)

2 a Ecoute: Quelle armoire préfèrent-ils? (1–5)

b Ecoute: Quelle armoire choisit Pascaline?

A Armoire avec 3 portes miroirs coulissantes en blanc ▶▶

◀◀**B** Armoire avec 3 portes pleines coulissantes en imitation pin

E Armoire avec 2 portes pleines ouvrantes, une porte avec miroir et 3 tiroirs en chêne clair ▼

◀◀**C** Armoire avec 2 portes pleines en noir et une porte miroir

D Armoire avec 2 portes coulissantes, une porte ouvrante avec miroir, surmeuble incorporé, en pin

3 A deux: Choisis l'armoire que tu préfères.
Ton/Ta partenaire doit deviner quelle armoire
c'est.
Tu réponds seulement par oui ou non!

Exemple:
- ● Les portes sont coulissantes?
- ▲ Oui.
- ● C'est à deux portes pleines?
- ▲ Oui.
- ● C'est en noir?
- ▲ Oui.
- ● C'est l'armoire C.
- ▲ Oui. Un point! C'est à moi!

4 A deux: Lisez et comprenez.
Cherchez les mots inconnus dans le
vocabulaire.

Exemple:
- ● 'Vélux', qu'est-ce que c'est?
- ▲ Je ne sais pas. Regarde dans le vocabulaire.
- ● 'Le vélux' veut dire 'skylight' en anglais.

Ma chambre est assez grande. C'est une mansarde. Les meubles sont de style moderne et le papier peint est bleu pastel. J'ai un vélux au plafond et une fenêtre donnant sur la rue. La moquette est rose framboise et les murs sont couverts de photos d'artistes et de cartes postales. J'ai un lit, une armoire, une petite table où je fais mes devoirs, une chaise et une commode. Sur la table il y a une lampe et mon radio-réveil.
Coralie

donnant sur = *giving/looking on to*
(donner = *to give*)

Ma chambre est située en haut, au deuxième étage. En entrant, on trouve un bureau contre le mur et, de l'autre côté de la porte, une armoire. Près du bureau, sur un meuble vidéo, il y a un ordinateur. J'ai aussi une télévision dans ma chambre. Les murs sont couverts de posters, surtout de joueurs de foot internationaux.
Pascal

5 Dessine un meuble pour ta chambre et écris un texte.

Exemple:

Mon meuble/Mon bureau/Il	est	blanc/intégré.
* Mon armoire/Ma commode/Elle		blanche/intégrée.

Il y a des étagères/tiroirs pour mes ...

* Attention! 'Armoire' est féminin.
C'est 'mon' parce que 'armoire' commence par une voyelle.

Chez toi
Prépare et enregistre un petit rapport sur ta chambre.

Le lundi

Je me lève à sept heures moins le quart. Je quitte la maison à sept heures vingt. Je prends le car de ramassage. Je dis bonjour aux copains et je rentre en classe.

Le premier cours, c'est les maths avec Mme Duhamel. Puis on a le français, et puis c'est la récré et on sort dans la cour. Après la récré, c'est l'anglais et puis les sciences nat et le repas de midi.

Je mange à la cantine. Quelquefois on y mange bien, mais souvent c'est pas trop appétissant et c'est toujours bruyant.

L'après-midi, on a musique et informatique, et ma journée se termine par un cours d'espagnol.

Je rentre à cinq heures. Je goûte. Je fais mes devoirs, on dîne et, s'il me reste encore du temps, je regarde un peu la télé. Je me couche à neuf heures et demie.

Eric

3

1 a A deux: Lisez et comprenez.

Exemple:
● 'Car de ramassage', qu'est-ce que c'est?
▲ 'School bus.'
● 'Je goûte.' Je ne comprends pas. Qu'est-ce que ça veut dire?

Notez les mots que vous ne connaissez pas et cherchez-les dans le vocabulaire.

b A deux: A tour de rôle, posez des questions ou répondez aux questions.

Exemples:

1 Eric se lève à quelle heure?
2 Il quitte la maison à quelle heure?
3 Il a quels cours le matin?
4 Les cours finissent à quelle heure?
5 Est-ce qu'il a beaucoup de devoirs?
6 Il se couche tard?
7 Quelle est sa matière préférée?
8 Il aime le sport?

> Je ne sais pas. *I don't know.*
> Je ne comprends pas. *I don't understand.*
> Je n'en ai aucune idée. *I haven't any idea.*
> Je suppose. *I expect so.*
> Je crois qu'il aime le sport. *I think he likes sport.*
> A mon avis ... *In my opinion ...*
> Qu'est-ce que tu en penses? *What do you think?*

2 Ecoute: La journée d'Aurélie

a Note les points-clés.

b Reconstitue la journée d'Aurélie.
Utilise le vocabulaire et fais attention à l'orthographe!

Exemple: Elle se lève ... etc.

c Qu'est-ce qu'elle a fait?

Exemple: Elle s'est levée ... etc.

> prendre – pris
> manger – mangé
> boire – bu
> avoir – eu

3 **a** Prépare et enregistre un exposé de ton lundi.

Le lundi, je me lève _____ . Je me lave et je m'habille. Je mange _____ .

Je bois _____ . Je quitte la maison _____ .

Je vais au collège _____ . Le premier cours, c'est _____ , suivi par _____ .

A _____ heures, il y a la récré. Après la récré, il y a _____ .

A midi, je mange _____ . L'après-midi, nous avons _____ . Je rentre à _____ .

Le soir, je _____ . Je me couche à _____ .

b Echange ton exposé avec l'exposé de ton/ta partenaire et écris ou enregistre un petit rapport sur lui/elle.

Exemple: Le lundi, il/elle se lève ... etc.

Mets le texte au passé.

Exemple: Lundi dernier, il/elle s'est levé(e) ... et

Chez toi

Qu'est-ce que tu fais le dimanche?
Ecris ou enregistre un petit rapport sur
ce que tu fais le dimanche;
ce que tu as fait dimanche dernier.

6 Ce soir

1

a A deux: Qu'est-ce qu'on pourrait faire ce soir? Combien de phrases est-ce que vous pouvez trouver en quatre minutes?

Exemple:

On pourrait:

écouter ...	faire ...
regarder ...	aller ...
lire ...	etc.
jouer ...	

b Ecoute: Qu'est-ce qu'ils vont faire ce soir? (1–3)

c A deux: Qu'est-ce qu'on va faire ce soir? Travaillez ce dialogue:

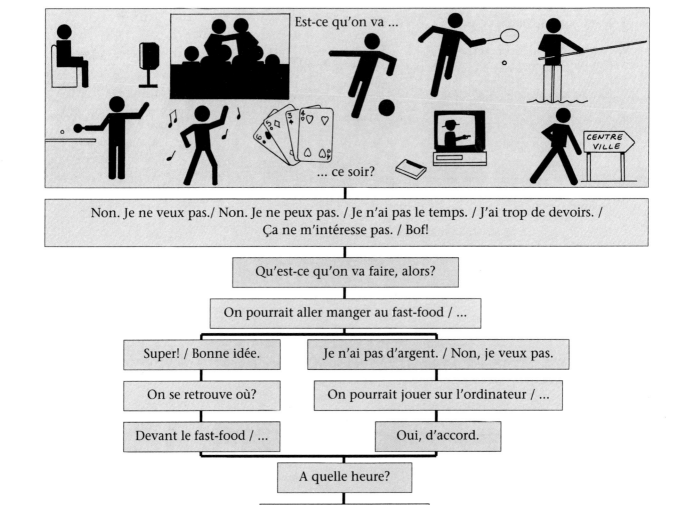

Est-ce qu'on va ... ce soir?

Non. Je ne veux pas./ Non. Je ne peux pas. / Je n'ai pas le temps. / J'ai trop de devoirs. / Ça ne m'intéresse pas. / Bof!

Qu'est-ce qu'on va faire, alors?

On pourrait aller manger au fast-food / ...

Super! / Bonne idée.

Je n'ai pas d'argent. / Non, je veux pas.

On se retrouve où?

On pourrait jouer sur l'ordinateur / ...

Devant le fast-food / ...

Oui, d'accord.

A quelle heure?

A six heures et demie.

A tout à l'heure!

Salut!

2 Jeu de cartes: Avec qui est-ce que tu vas sortir ce soir?

VENDREDI

TF1

16.50 CLUB DOROTHÉE
JEUNES | Doctor Slump

17.10 21 JUMP STREET
Série américaine

18.05 HAWAII, POLICE D'ÉTAT
Série américaine

19.00 SANTA BARBARA
Feuilleton américain

19.20 LA ROUE DE LA FORTUNE

20.00 JOURNAL

20.25 MÉTÉO

20.28 TRAFIC INFOS

20.30 TAPIS VERT

20.35 AVIS DE RECHERCHE
en direct de Marrakech

2 France

16.05 EN AVANT ASTÉRIX
JEUNES

17.05 DES CHIFFRES ET DES LETTRES
Demi-finale de la Coupe des Clubs

18.10 L'HOMME QUI TOMBE À PIC
Série américaine

19.00 DESSINEZ C'EST GAGNÉ
JEU

19.59 JOURNAL

20.26 FOOTBALL: COUPE DU MONDE
En direct de Bologna (Italie)

France 3

17.00 FLASH

17.03 TOM SAWYER

18.00 FLASH

18.03 C'EST PAS JUSTE
JEUNES

18.30 QUESTIONS POUR UN CHAMPION

19.00 LE 19-20 DE L'INFORMATION

    19.10 Actualités régionales

    19.33 le 19-20 de l'information (suite)

20.05 CHAMPS-ELYSÉES À POITIERS
Spécial départ du Tour de France

21.40 PLASTIC
Le magazine des arts plastiques

3

a Ecoute: Qu'est-ce qu'ils vont regarder à la télé ce soir?

b Trouve le bon titre pour chaque image.

les actualités
un feuilleton
la pub
un dessin animé
une émission pour les enfants
une émission de sport
un documentaire
la météo

c A deux: Choisissez ce que vous allez regarder ce soir.
Ce sont quelles sortes d'émissions?

4 A deux: Choisissez une chaîne (BBC1 ou ITV etc.).

Faites la liste des émissions de ce soir. Classez-les (expliquez quelles sortes d'émissions ce sont) pour un ami français.

Exemple: 6h00 'East Enders': c'est un feuilleton.

MINI-TEST 2

Can you say at least three things about ...?
• your room
• a school day
• what you do after school

Voyage au Centre de la Terre

Jules Verne 1828-1905

Il est l'auteur de Voyage au Centre de la Terre.

Il a écrit aussi:
Vingt Mille Lieues sous les Mers, De la Terre à la Lune et Le Tour du Monde en Quatre-Vingts Jours.

C'est dans un vieux manuscrit du XVIè. siècle que mon oncle, le professeur **Lidenbrock**, géologue et minéralogiste, vient de découvrir que Arne Saknussemm célèbre savant islandais, a pénétré jusqu'au centre de la terre par la cheminée du cratère du Sneffels, volcan éteint d'Islande!... Il n'en faut pas plus pour décider le bouillant professeur!...

Axel, cesse donc de rêver! On descend au cratère! Vite, allons!... Il faut que nous soyons arrivés à midi!...

Avec l'aide d'un guide local, Hans, nous sommes en route vers les mystérieuses profondeurs du volcan!...

La descente se fait sans incident.

Attention où tu mets les pieds, Axel! Le fond est à plus de 300 m!...

Euh... Oui, mon oncle!...

Après plusieurs heures, nous arrivons enfin au fond.

Professeur! Sur la pierre là!... *Des rûnés!!*

* Rûnes: caractères d'un ancien alphabet germanique et scandinave.

7 Le week-end dernier

1 a Ecoute: Qu'est-ce qu'ils ont fait le
week-end dernier? (1–6)

Note les réponses. Compare tes résultats
avec un(e) partenaire.

Je	suis	allé(e)	en ville
			au cinéma
Il Elle	est	resté(e) sorti(e) rentré(e)	à la maison avec mes/ses amis à la maison
J'	ai	joué	au foot au tennis
Il Elle	a	fait aidé lavé lu travaillé mangé	une promenade mes/ses devoirs mes/ses parents la voiture un livre au fast-food

Je n'ai rien fait = *I didn't do anything*
Il/Elle n'a rien fait

b Regarde les 'photos'. Qu'est-ce que tu as 'fait'
le week-end dernier? Enregistre un petit
rapport.

Samedi:

Dimanche:

c Qu'est-ce que tu as fait le
week-end dernier?
Pose la question à cinq copains/
copines et note leurs réponses.

2 a J'ai aidé à la maison.

Quelles images correspondent aux phrases suivantes?

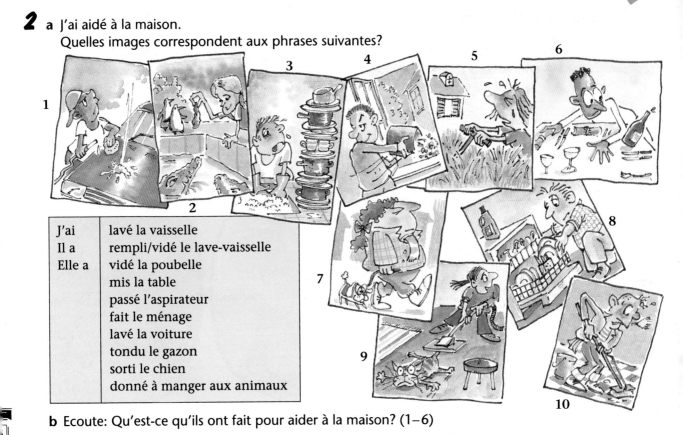

J'ai	lavé la vaisselle
Il a	rempli/vidé le lave-vaisselle
Elle a	vidé la poubelle
	mis la table
	passé l'aspirateur
	fait le ménage
	lavé la voiture
	tondu le gazon
	sorti le chien
	donné à manger aux animaux

b Ecoute: Qu'est-ce qu'ils ont fait pour aider à la maison? (1–6)

3 a A deux: Qu'est-ce qu'ils ont fait pour aider à la maison?

Marc

Camille

Pierre

Sylvie

Martin

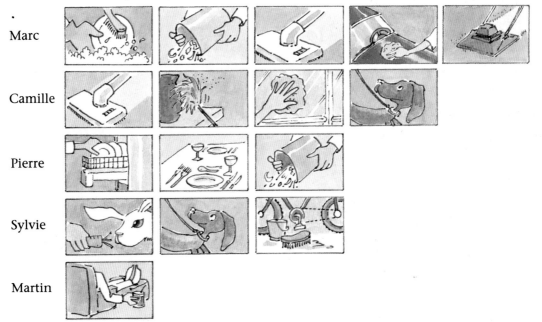

b Et toi? Qu'est-ce que tu as fait pour aider à la maison?

Chez toi

Prépare et enregistre un petit exposé:

Le week-end dernier ...

⑧ *Un sondage*

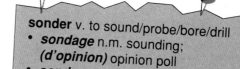

⚠ 1 Fermez le livre ou cachez la page!
Combien de questions est-ce que vous
pouvez formuler en deux minutes?

Exemples:

Aimes-tu écouter de la musique pop?
Où habitez-vous?

sonder v. to sound/probe/bore/drill
• *sondage* n.m. sounding;
(d'opinion) opinion poll
• *sondeur* n.m./*sondeuse* n.f.
person who carries out a poll

📟 2 a Ecoute: Tutoyer ou vouvoyer? (1–10)
Mets un T s'ils utilisent la forme 'tu' et un V
s'ils utilisent la forme 'vous'.

tutoyer = *to use the* tu *form*
vouvoyer = *to use the* vous *form*

On parle avec un copain – on se tutoie.

On parle avec un adulte – on le vouvoie.

Exemple:
Où habites-tu?

Exemple:
Où habitez-vous?

b Ils tutoient ou vouvoient? (T ou V)
Ecris la forme qui manque.

1 Où est-ce que tu habites?
2 Qu'est-ce que tu portes?
3 Préférez-vous le café ou le thé?
4 As-tu des frères ou des soeurs?
5 Avez-vous des ciseaux?

6 C'est quand votre anniversaire?
7 Vous êtes de quel signe?
8 Aimes-tu regarder la télé?
9 Vous partez à quelle heure?
10 Est-ce que vous avez déjà fait du surf?

3 Que font nos parents?

a Ecoute: Les résultats du sondage de Nicolas. Copie et complète le texte.

> Il y a ...... pères qui travaillent, ... qui sont au chômage et ...... qui ne travaille(nt) pas.
>
> Parmi ceux qui travaillent:
>
> ...... % travaillent dans un bureau
>
> ...... % travaillent dans une usine ou un atelier
>
> ...... % travaillent à leur compte
>
> ...... % .... etc.

b Regarde le graphique et écris une conclusion.

Nombre de mères qui:

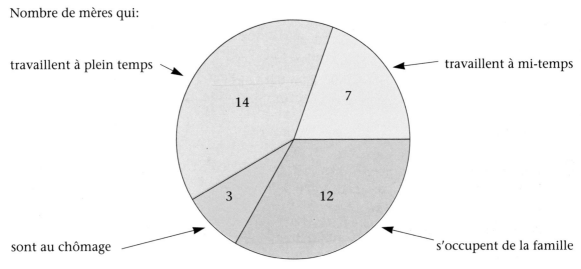

travaillent à plein temps → 14

travaillent à mi-temps ← 7

sont au chômage → 3

12 s'occupent de la famille ←

4 Fais un sondage.

a Choisis un thème.

Exemples:
la famille; la maison; ma chambre; les loisirs etc.

b Prépare une/des question(s).

Exemples:
As-tu des frères ou des soeurs?
Aimes-tu ...?
Préfères-tu ...?
Comment trouves-tu ...? Bon, bof, nul?

c Pose la/les question(s) à douze/vingt-quatre copains et copines.

d Dessine un graphique et écris tes conclusions.

Chez toi
Prépare et enregistre les conclusions de ton sondage.

Les voisins

Je connais mes voisins de droite depuis plus de dix ans, ce sont de très bons amis. Gaëtan, le fils, a le même âge que moi et il est dans la même classe au collège. Christine, la fille aînée, a quitté la maison et s'est mariée. Leur père est plombier et leur mère travaille dans une école maternelle. Ils sont très sympa.

Mes parents ne fréquentent pas nos voisins de gauche, mais ils ont un fils qui a à peu près le même âge que moi. Il est en troisième, mais il fréquente un autre collège, le C.E.S. Rousseau, un peu plus loin d'ici. Il a les yeux bruns et les cheveux châtains. Le soir, il passe beaucoup de temps sur sa bicyclette dans la rue. Mes parents ne me permettent pas de sortir seule le soir. Quelquefois, je cherche une excuse pour aller à la poste ou au magasin. Une fois, j'ai eu l'impression qu'il voulait me parler, mais il a rougi et il est parti en vélo. Coralie

1 **a** A deux: Read about Coralie's neighbours. What do you know about them?

For example:

1 How long has Coralie lived there?
2 Who is Gaëtan and how old is he?
3 Who is Christine?
4 Does she like the boy who lives next door?
5 What sort of person is he?

Mes voisins

J'ai des voisins de chaque côté de ma maison. Ceux de gauche ont un petit garçon de trois ans, Mathieu, et une petite fille, Céline, qui a un an. Ils sont gentils, mais on ne les voit pas souvent, car les parents travaillent beaucoup et rentrent très tard le soir.

Le père est boulanger et se lève à quatre heures tous les jours, sauf le lundi. La mère travaille dans le magasin. Pendant ce temps, les enfants restent chez leur grand-mère qui habite une maison plus loin.

Mes voisins de droite ont une seule fille, Coralie. Elle est en troisième, mais pas dans le même collège que moi. Je ne la vois pas très souvent, parce que souvent, le soir, elle a une leçon de musique. Elle joue de la guitare. Je voudrais l'inviter à sortir, mais je n'arrive pas à lui parler. Hier, je suis sorti en vélo pour être là quand elle rentre, mais elle est rentrée avec une copine et je n'ai pas osé lui parler. Sébastien

b Sébastien's neighbours

    1 What do you know about the neighbours on the left?
    2 Who lives on the right?

> lui = *to her*
> oser = *to dare*

2 Jeu des 'conséquences'

    Ecris   le nom d'un garçon
              le nom d'une fille
              où ils se retrouvent
              ce qu'il dit
              ce qu'elle dit.

Quelles sont les conséquences?

Chez toi
Ecris une petite histoire de 'conséquences'.

Bilan

Check that you can ...

1 talk about yourself:

Je suis ... J'ai ...

and about someone else:

Il/Elle est ...
Il/Elle a ...

2 talk about your family:

Mon père ... Il est ... Il a ...
Ma mère ... Elle est ... Elle a ...

3 talk about your home and say what is in your room:

J'habite ...
Dans ma chambre il y a ...

4 describe your day:

Je me lève à...
Le premier cours, c'est ...

5 say what you are going to do:

Je vais faire/aller ...

ask a partner what he/she is going to do:

Qu'est-ce que tu vas faire?

and agree on what to do:

Qu'est-ce qu'on va faire?
On pourrait ...

6 ask someone for help with difficult words:

'Colline', qu'est-ce que c'est?

and give assistance:

'La colline' veut dire 'hill' en anglais.

7 say where you have been and what you have done:

Je suis allé(e) ...
J'ai fait/joué ...

and say what someone else has done:

Il/Elle est allé(e) ...
Il/Elle a fait/joué ...

8 formulate questions in the 'tu' and 'vous' forms,
carry out a 'sondage' and report back on the findings.

Petit portrait

Fais un petit portrait de Gilbert,
oralement et par écrit.

Gilbert

S.o.s. Terre!

1 La planète terre

Groënland

L'équateur partage le globe en deux hémisphères, l'hémisphère nord et l'hémisphère sud.

Il y a cinq océans: l'Atlantique, le Pacifique, l'océan Indien, l'océan glacial Arctique et l'océan glacial Antarctique, et cinq continents: l'Eurasie, l'Afrique, l'Amérique, l'Australie et l'Antarctique.

1

Ⓑ

Guadeloupe

Ⓒ

1 a Travaillez en groupe.

1 C'est quel continent? (1–5)
2 C'est quel océan? (A–E)
3 Mettez les continents et les océans dans l'ordre du plus grand au moins grand.

b Ecoute et vérifie.

F

E

l'Aborigène
l'Amérindien(ne)
le/la Chinois(e)
l'ours blanc
le pingouin
le/la Zoulou(e)

A

B

C

D

Ⓔ

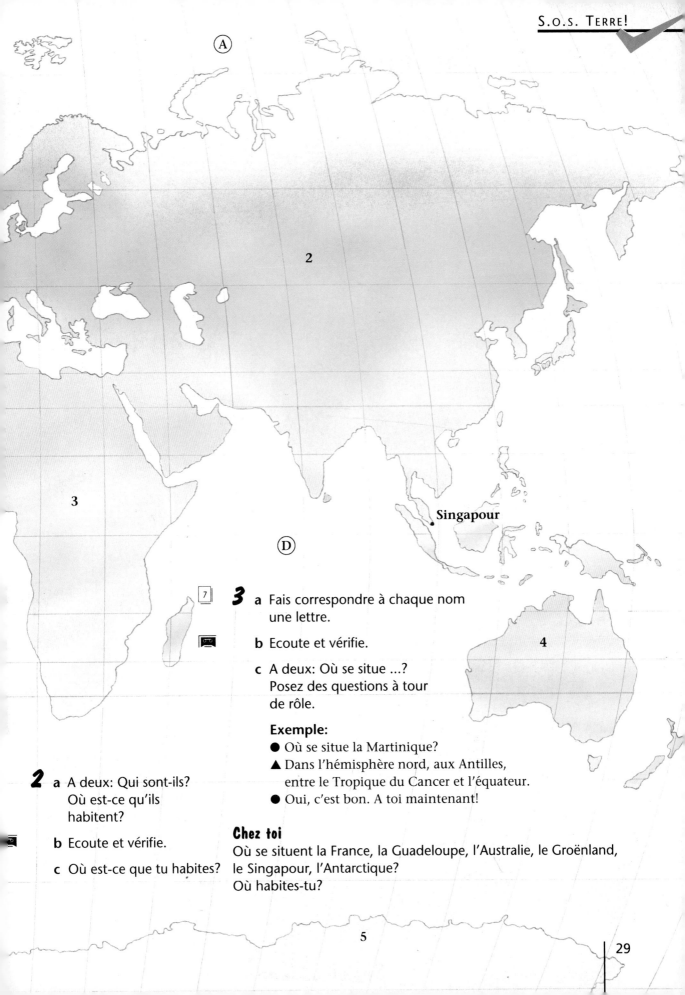

Ⓐ

2

3

Singapour

Ⓓ

4

3 a Fais correspondre à chaque nom une lettre.

b Ecoute et vérifie.

c A deux: Où se situe ...?
Posez des questions à tour de rôle.

Exemple:
● Où se situe la Martinique?
▲ Dans l'hémisphère nord, aux Antilles, entre le Tropique du Cancer et l'équateur.
● Oui, c'est bon. A toi maintenant!

2 a A deux: Qui sont-ils?
Où est-ce qu'ils habitent?

b Ecoute et vérifie.

c Où est-ce que tu habites?

Chez toi
Où se situent la France, la Guadeloupe, l'Australie, le Groënland, le Singapour, l'Antarctique?
Où habites-tu?

5

② *Les quatre saisons*

1 A deux: Lisez et comprenez.

   a A tour de rôle, chacun(e) lit une phrase.

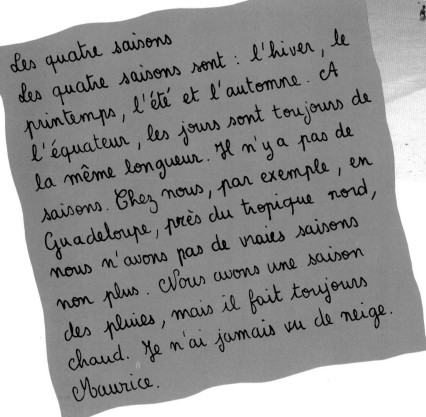

Les quatre saisons

Les quatre saisons sont : l'hiver, le printemps, l'été et l'automne. A l'équateur, les jours sont toujours de la même longueur. Il n'y a pas de saisons. Chez nous, par exemple, en Guadeloupe, près du tropique nord, nous n'avons pas de vraies saisons non plus. Nous avons une saison des pluies, mais il fait toujours chaud. Je n'ai jamais vu de neige.

Maurice.

b A tour de rôle, posez une question ou répondez à une question.

1 Comment s'appellent les quatre saisons?
2 Où habite Maurice?
3 Où cela se trouve-t-il?

4 Quel temps fait-il chez lui?
5 Quel temps fait-il chez vous aux différentes saisons?
6 Et chez Suliman (page 4)? Pourquoi? (Où habite-t-il?)

2 **a** A deux: C'est quelle saison?

A   B   C   D

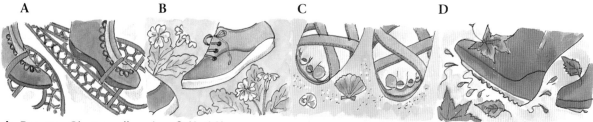

b Ecoute: C'est quelle saison? (1–13)

c A deux: Choisissez une saison. Faites une liste de mots associés à cette saison. Combien de mots est-ce que vous pouvez trouver en quatre minutes?

3 Ecoute et lis.

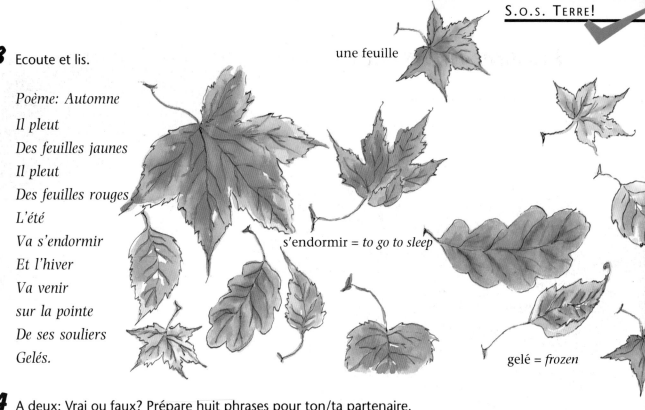

une feuille

Poème: Automne

Il pleut
Des feuilles jaunes
Il pleut
Des feuilles rouges
L'été
Va s'endormir
Et l'hiver
Va venir
sur la pointe
De ses souliers
Gelés.

s'endormir = *to go to sleep*

gelé = *frozen*

4 A deux: Vrai ou faux? Prépare huit phrases pour ton/ta partenaire.
Il/Elle doit deviner: C'est vrai ou faux?

Exemple:
● En hiver, il fait toujours chaud.
▲ Faux.

En hiver,	il fait ...
Au printemps,	il y a ...
En été,	j'aime/je n'aime pas ...
En automne,	on porte ...

toujours = *always*
souvent = *often*
quelquefois = *sometimes*
ne ... jamais = *never*
(**Exemple:** Je ne porte jamais de manteau)

5 Fais un sondage en classe.
Choisis un thème et dessine un graphique.
Mets tes conclusions sur l'ordinateur.

Exemple:
● Quelle saison préfères-tu?
Et pourquoi?
▲ Je préfère l'hiver, parce
qu'il y a de la neige et
j'adore ...
● Qu'est-ce que tu aimes/
n'aimes pas en automne?
▲ J'aime ...

J'ai trouvé que quinze personnes (%) aiment/n'aiment pas ...
la plupart (60%) aiment/n'aiment pas ...
et il y a trois personnes (%) sans opinion.

Chez toi
Fais un 'Vrai ou faux?' pour un(e) partenaire.
Ecris trois phrases sur chaque saison.

3 J'habite en Afrique

1 **a** Lis et écoute.

Je m'appelle Bacary. J'habite Douroula, un petit village au Burkina Faso, en Afrique du nord-ouest, dans la zone tropicale au sud du désert du Sahara. Notre pays est entouré par: le Ghana, Le Togo, le Bénin, le Niger, le Mali et la Côte d'Ivoire.

Il y a environ huit millions d'habitants. La capitale s'appelle Ouagadougou. Les habitants du Burkina Faso s'appellent les Burkinabés. Douroula est jumelée avec la ville de Besançon en France. Voici Valérie, qui fait partie d'un groupe d'étudiants de Besançon qui est venu planter des arbres et construire un puits.

Voici ma maison. J'habite ici avec ma famille. Nous avons cinq vaches et deux ânes. Mon père a quatre femmes et j'ai neuf frères et sept soeurs. Voici une photo de quatre de mes soeurs. Mon père et mes frères aînés travaillent dans les champs.

Les femmes s'occupent du jardin et de la cuisine. Les voici qui préparent le mil pour le repas du soir. Après l'école, je dois aller chercher du bois pour faire le feu et m'occuper des animaux.

A l'école, on apprend le français. Mes soeurs ne vont pas à l'école. Elles ne parlent pas le français. Elles parlent le moré. Mais ma petite soeur va aller à l'école et elle va apprendre le français.

Il n'y a pas de magasins à Douroula, mais il y a un marché où l'on peut acheter de la viande, des fruits et des légumes. Si l'on veut acheter des vêtements, il faut aller à Dédougou, mais c'est difficile parce qu'il n'y a pas de bus.

Le climat est tropical, c'est à dire, composé de deux saisons: une saison sèche, de mars à juin, et une saison des pluies, de juillet à octobre. Le climat est sain, ensoleillé, chaud et sec.

le mil = *millet*
sain = *healthy*

b A deux: Choisissez un titre pour chaque photo parmi les phrases soulignées.

c A deux: A tour de rôle, posez une question et répondez à une question.

1 Où habite Bacary?
2 Où se situe ce pays?
3 Comment s'appelle la capitale?
4 Il y a combien d'habitants?

5 Quelle est la langue officielle?
6 Bacary a combien de frères et soeurs?
7 Comment s'appelle la ville la plus proche?
8 Comment est le climat?

Prépare deux autres questions pour ton/ta partenaire.

2 A deux: Faites une liste des différences entre la France et le Burkina Faso.

Exemple:
La France se situe ...
En France on ... / il y a ...
Le Burkina Faso ...
Au Burkina Faso ...

MINI-TEST 3

Can you ... ?

- talk about different parts of the world
- say where different countries are situated
- talk about seasons and climate
- make comparisons and list differences between various countries

Récréation

JEU-TEST: As-tu besoin qu'on t'admire?

1 Tu as fait une tache indélébile sur ton sweat-shirt préféré. Continues-tu à le porter?
- **a** Oui, mais avec une veste par-dessus.
- **b** Non, tu proposes le sweat-shirt à ta soeur.
- **c** Bien sûr, ça ne fait rien.

2 Tu as un rendez-vous avec ton petit ami/ta petite amie. Combien de temps te faut-il pour te préparer?
- **a** Plus d'une heure.
- **b** Une demi-heure.
- **c** Cinq minutes.

3 Tu décides d'aller à la piscine et tu sais qu'il va y avoir des garçons et des filles de ton collège.
- **a** Tu ne fais rien de spécial. Ce n'est pas un défilé de mode.
- **b** Tu prends ton maillot de bain préféré et tu te coiffes avec soin.
- **c** Tu choisis un super maillot sexy et tu te parfumes bien.

4 A la discothèque, on demande des volontaires pour participer à un concours de rock. Que fais-tu?
- **a** Tu te proposes tout de suite.
- **b** Tu attends avant de te proposer.
- **c** Tu vas aux toilettes.

5 Ta grand-mère t'a tricoté un horrible pull. Le mets-tu?
- **a** Surtout pas.
- **b** Oui, mais tu le portes avec une veste par-dessus.
- **c** Oui, mais tu dis à tout le monde que c'est ta grand-mère qui l'a tricoté.

6 Combien de ton argent de poche consacres-tu à l'achat de vêtements ou de produits de beauté?
- **a** Tout.
- **b** La moitié.
- **c** Pas un sou. Tu as déjà tout ce qu'il te faut à la maison.

7 Tu fais partie de la troupe de théâtre du collège. Vous répétez 'Cats' et vous devez danser en miaulant ... Le fais-tu?
- **a** Tu proposes de t'occuper des éclairages.
- **b** Tu trouves que tu as trop de devoirs en ce moment.
- **c** Pas de problème. Tu sautes sur l'occasion et tu miaules plus fort que tous les autres.

8 Qu'as-tu dans ton sac?
- **a** Une brosse, un peigne, ton carnet d'adresses.
- **b** Tes papiers, un peu d'argent et des Kleenex.
- **c** Du déodorant, des chewing-gums, une chaussette.

9 Un soir, tu as invité plein de copains chez toi, mais l'ambiance est plutôt morose. Comment fais-tu pour que tout le monde s'amuse?
- **a** Tu propose à chacun de chanter une chanson.
- **b** Tu cherches des photos de toi quand tu étais petit(e). Que tu étais mignon(ne)!
- **c** Comme tu vois que la soirée est complètement ratée, tu bâilles et tu dis qu'il est temps de partir.

Ecoute: Attention à la prononciation!

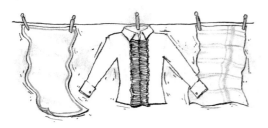

La chemise de l'archiduchesse est sèche, archisèche.

Dis moi, gros grand gras grain, quand te dégrosgrandgrasgrainseras-tu? Je me dégrosgrandgrasgrainserai quand tous les gros grands gras grains se dégrosgrandgrasgrainseront!

Trouve le cri de ces animaux

le perroquet   la grenouille   le loup   la chouette
la vache   l'éléphant   le serpent   le cheval
le lion   le chien   le chat   le pigeon

aboie	barrit
coasse	hennit
hulule	hurle
meugle	miaule
parle	roucoule
rugit	siffle

Mots associés: Jouez en groupe

chat — noir — la nuit — dormir

Commencez avec: araignée; Ferrari; spaghettis; etc.

Résultat

	1	2	3	4	5	6	7	8	9
a	2	3	1	3	3	3	1	2	2
b	3	2	2	2	1	2	3	1	3
c	1	1	3	1	2	1	2	3	1

De 9 à 15 points: Mais pourquoi tu te sous-estimes comme ça? Les autres ne sont ni plus beaux, ni plus intelligents que toi. Sois un peu plus overt(e)!

De 16 à 22 points: Dans l'ensemble, tu t'acceptes facilement tel(le) que tu es. Tu t'aimes bien. Tu es à l'aise dans tes baskets, tu connais aussi ta valeur et tes défauts. Tu acceptes les autres et, en somme, tu as un bon équilibre.

De 23 à 27 points: La vie est une scène perpétuelle et les gens autour de toi sont ton public. La star, c'est toi, et tu adores te trouver au centre de toutes les conversations. Arrête un peu d'être égoïste comme ça! Essaie plutôt de prendre les choses comme elles viennent.

Les grands milieux naturels du monde

9

1 **a** A deux: Trouvez la bonne couleur pour chaque type de paysage.

1	les forêts tempérées	gris
2	les pâturages	bleu
3	les déserts	vert pâle
4	les forêts tropicales	jaune
5	les montagnes	rouge
6	les pôles	bleu pâle
7	les eaux douces	vert foncé
8	les océans	blanc
9	les grandes villes	beige

b Ecoute et vérifie.

2 **a** A deux: C'est quel problème?

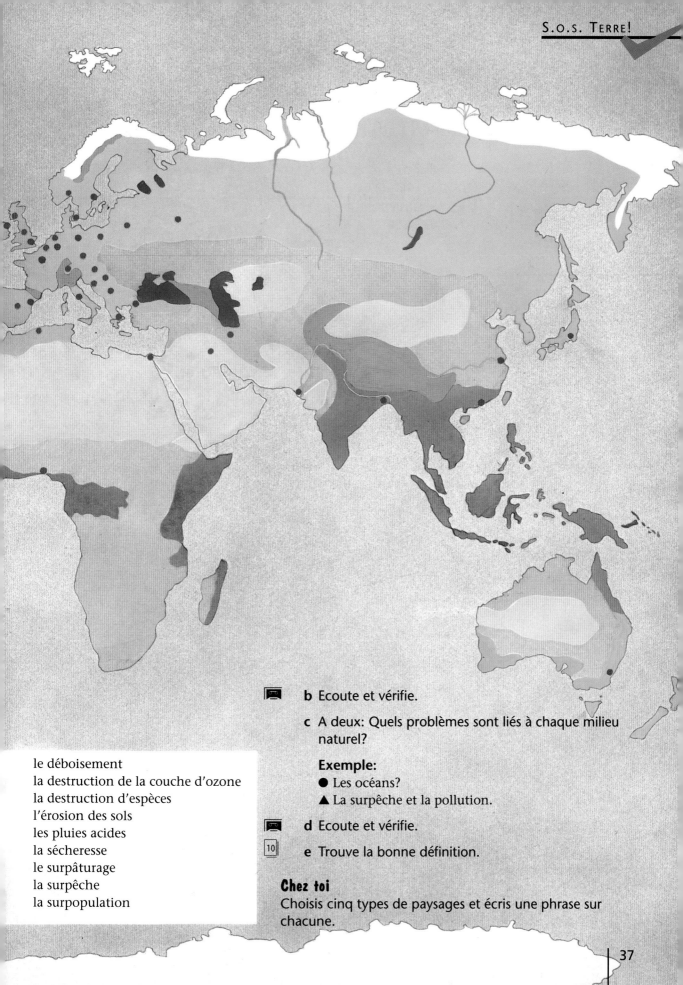

le déboisement
la destruction de la couche d'ozone
la destruction d'espèces
l'érosion des sols
les pluies acides
la sécheresse
le surpâturage
la surpêche
la surpopulation

b Ecoute et vérifie.

c A deux: Quels problèmes sont liés à chaque milieu naturel?

Exemple:
● Les océans?
▲ La surpêche et la pollution.

d Ecoute et vérifie.

e Trouve la bonne définition.

Chez toi
Choisis cinq types de paysages et écris une phrase sur chacune.

⑤ *Les forêts tropicales*

La forêt tropicale en danger

Les forêts tropicales jouent un rôle très important dans la vie sur la planète. Elles fabriquent une grande partie de notre oxygène.

Il y a 500 ans, la forêt occupait 20% de la surface de la terre. Malheureusement, les hommes ont commencé à l'exploiter. Aujourd'hui, elle en occupe seulement 8%.

On abat les arbres pour faire des portes, des fenêtres et des meubles pour les gens des pays riches.

On brûle la forêt pour l'agriculture, pour cultiver des céréales, mais le sol est vite fatigué et il faut toujours brûler davantage.

Les grands arbres absorbent de l'eau par les racines et la transpirent par les feuilles. L'eau qu'ils rejettent se condense en nuages et retombe en pluie.

Si l'on abat les arbres, la terre devient un désert. On ne peut plus cultiver de plantes pour se nourrir ou nourrir les animaux, et les gens meurent de faim.

Les étages de la végétation dans la forêt tropicale

Les animaux et les oiseaux sont en danger. Ils perdent leur habitat. Plus de 25.000 espèces risquent de disparaître avant l'an 2000.

Le Sahara était une grande prairie il y a 3.000 ans. Au Sahel, dans le sud-est du Sahara, le désert a progressé de 100 km en 25 ans.

---

1 **a** Ecoute et lis.

b A deux: Lisez le texte à haute voix, une phrase chacun(e) à tour de rôle.

2 **a** A deux: Trouvez un titre pour chaque photo.

b A deux: Traduisez le texte en anglais pour le prof de géo.

il y a (cinq) ans = *(five) years ago*	vite = *quickly*
malheureusement = *unfortunately*	toujours = *always*
en = *of it*	davantage = *more*
seulement = *only*	les racines = *roots*
les gens = *(the) people*	mourir de faim = *to die of hunger*
brûler = *to burn*	disparaître = *to disappear*

Les forêts tropicales

Houppiers

Canopée

Lianes

Sous-bois

A

B

C

D

E

3 Prépare un article pour ton journal. Ecris un exposé sur un milieu naturel en danger.

Exemple:
La forêt tropicale
La forêt tropicale est en danger parce que ...

Chez toi
Fais des recherches. C'est une feuille de quel arbre?

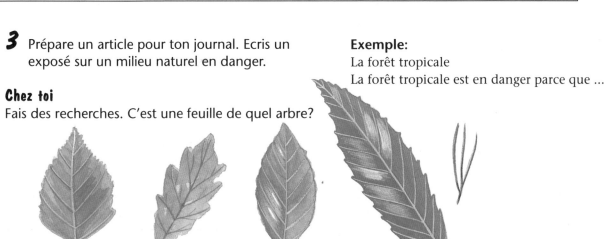

6 L'environnement en danger!

1 **a** Trouve les légendes qui correspondent aux images.

*D*ouze gestes verts pour protéger l'environnement

A Roulez moins vite.

B Récupérez les boîtes en métal.

C Utilisez des sacs en coton (au lieu de sacs en plastique).

D Baissez le chauffage.

E Ne cueillez pas les fleurs sauvages.

F Eteignez la lumière.

G Plantez un arbre.

H Recyclez les bouteilles.

I Jetez les ordures dans la poubelle.

J Economisez l'eau: fermez les robinets.

K Prenez le vélo (pas la voiture).

L N'utilisez pas les aérosols aux gaz CFC.

b Ecoute: C'est quel geste vert? (1–12)

c Choisis un geste vert et dessine un poster pour le collège.

Economisez l'essence – ne roulez pas trop vite!

Réduisez la pollution – marchez à pied!

Economisez l'eau – _____

Sauvez la planète – _____

Protégez les animaux – _____

Protégez les plantes – _____

Economisez l'énergie – _____

2 A deux: Complétez les phrases.

3 A deux: Au Parc National de la Guadeloupe
Qu'est-ce qu'on ne doit pas faire ici?

A

DECHETS INTERDITS

B

CHASSE INTERDITE

C

FEU INTERDIT

D
EVITEZ LE BRUIT

CUEILLETTE INTERDITE
E

Exemples:
Il est défendu de ... parce qu'il y a danger d'incendie.
On ne doit pas ... parce que c'est gênant.
Il est interdit de ... parce que c'est dangereux.

défendu/interdit = *forbidden*
un incendie = *fire*
gênant = *annoying*
on ne doit pas (devoir) = *you mustn't*

4 Faites une pub ou écris des renseignements sur l'environnement pour ton journal ou pour le journal de la classe.

Un monde fou, fou, fou!

UN RECORD ANTI-ÉCOLO

Le 1er octobre 1991, le record mondial de la pollution a été atteint à Athènes: 696 microgrammes de gaz carbonique par mètre cube d'air. La norme européenne est de 200 microgrammes. C'est ce qu'une personne peut supporter.

MINI-TEST 4

Can you ...?

- name some of the different regions of the world
- say what some of their problems are
- suggest ways in which we can help the environment

Voyage au Centre de la Terre

7 J'habite ...

1 **a** Ecoute: Où habitent-ils? C'est quelle photo? (1–5)

Eric   Bacary

Mélissa

Lucie   Maurice

A Dédougou

B Morzine

C Basse-Terre

D Amiens

E Le Lavandou

b Ecoute: Le climat est comment? (1–5)   Et quoi d'autre?

A   B   C   D   E   F   G

c Ecris un petit texte sur chacun.

Eric	habite	dans le nord de la France	à Paris	au Lavandou
		en Afrique	aux Antilles	au Canada
En hiver	il pleut	beaucoup	souvent	
En été	il fait	assez/très froid	assez/très chaud	
	il y a	du vent	du soleil	

2 a Ecoute: Qu'est-ce qu'il y a chez eux? (1–5)

A des magasins   E des écoles   I une mosquée
B un hôpital   F un marché
C une cathédrale   G une rivière
D une gare routière   H une gare

Et quoi d'autre?

b Ecoute: Qu'est-ce qu'on peut faire? (1–5)

A   B   C

D   E   F

G   H   I   J

Et quoi d'autre?

c Ecris un petit texte sur leur ville ou village.

Exemple:
(Rouen) est *(une grande ville dans le nord de la France)*. C'est *(un port industriel, situé sur la Seine)*. La ville est *(très belle)*. Il y a *(une cathédrale, un marché, des magasins, des musées, des cinémas, des théâtres, des restos, etc.)* On peut aller *(à la piscine, au fast-food, dans les parcs, etc.)*.

3 A deux: Préparez et enregistrez un petit discours sur votre village ou votre ville pour un collège jumelé.

Exemple:
Nous habitons à ...   En hiver ... et en été ...
C'est situé ...   A ... il y a ...
C'est ... (ville/village).   On peut ...

Attention aux adjectifs!

Féminin

une grande ville industrielle
     petite   touristique

La ville est très   belle
     assez   jolie

Masculin

un grand port industriel
   petit village touristique

Le village est très   beau
     assez   joli

Chez toi
(a) Fais une liste des bâtiments qu'il doit y avoir dans une ville, et **(b)** écris un petit texte sur ta ville/ton village ou sur une ville imaginaire.

8 *Projet: Une ville imaginaire*

1 A deux.

a Vous avez quatre minutes. Faites la liste de tout ce qu'une ville doit avoir.

Exemple:

Elle doit avoir une bibliothèque pour ceux qui aiment lire.

N'oubliez pas ceux qui ...

aiment	les films/le sport/sortir/nager/danser/etc.
sont	malades/vieux/handicapés/etc.
ont	des petits enfants/des animaux/etc.
n'ont pas	de voiture/etc.

b Faites un plan ou un dessin de votre ville. N'oubliez pas l'environnement!

Au Canada, on recycle tous les déchets. On a cinq poubelles: une pour les déchets organiques, une pour le verre, une pour le papier, une pour les boîtes de conserve et une pour les autres ordures. Il faut laver toutes les boîtes avant de les jeter.

c Ecrivez un texte pour expliquer ton plan.

Exemple:

Dans notre ville, il y a un hôpital pour ceux qui ...
Il y a des containers spéciaux pour le recyclage des bouteilles, des boîtes en aluminium, etc.
Il y a un centre sportif pour ceux qui ... etc.

2 a Ecoute: Une ville futuriste. Qu'est-ce que c'est?

A, qu'est-ce que c'est?

le campus universitaire	le centre de recyclage	la gare monorail
le centre aquatique	le centre des sciences	la station spatiale
le centre commercial	le centre scolaire	le terrain de sport
le centre culturel	le centre de télécommunications	la zone industrielle
le centre médical	l'espace vert	

b A deux: Vrai ou faux? Vérifiez avec un(e) partenaire.
Corrigez les phrases qui sont fausses.

1 L'espace vert est à côté du centre de télécommunications.
2 La gare monorail est entre le centre médical et le centre commercial.
3 Le terrain de sport est à côté du centre commercial.
4 Le centre scolaire est entre le centre aquatique et le centre culturel.
5 La station spatiale est entre le centre commercial et le centre scolaire.
6 Le centre culturel est à côté du centre aquatique.
7 Le campus universitaire est à côté du centre médical.
8 Le centre des sciences est entre le centre culturel et le centre scolaire.

Chez toi
Fais une liste des différences.

Exemple:
Sur notre plan il y a ...
Sur l'autre plan il n'y a pas de ...
il n'y a rien pour ceux qui ...

il n'y a rien = *there is nothing*

9 *Je bouquine*

1 Lis et comprends.

Ma première baleine

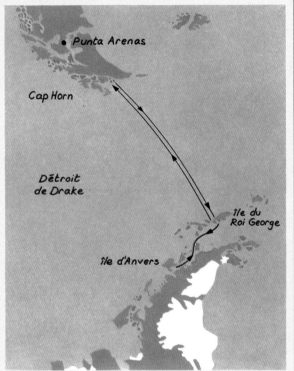

Nous nous préparons à aller nous coucher. Jéronimo est sous la douche. Soudain, quelqu'un crie: des baleines, des baleines! Nous nous précipitons hors des cabines avec nos appareils photo. Jéronimo est encore sous la douche.

Quand j'arrive sur le pont, tout le monde est en train de pointer le doigt vers l'eau et de pousser des cris. Au début, je ne vois rien.

Tout à coup, j'aperçois un énorme remous dans l'eau et je n'en crois pas mes yeux: j'ai devant moi une masse gigantesque. Je n'ai jamais rien vu d'aussi gros. Je suis tout excitée et remplie de joie. C'est fantastique. Tout le monde est bouche bée. Le capitaine nous dit qu'il s'agit d'une baleine à bosse.

Et soudain, on découvre un baleineau qui nage à son côté. Il a beau paraître tout petit par rapport à sa maman, c'est néanmoins le plus gros bébé que j'aie jamais vu. Pendant un moment, ils nagent tout près du bateau, et d'un seul coup ils disparaissent dans les profondeurs de la mer. On ne les reverra plus. **Kelly**

2 a Copie et complète l'histoire de Julie avec les mots proposés.

Un monde fou, fou, fou!

Chaque année, pour Noël, on coupe des milliers de sapins pour faire des arbres de Noël.

A Noël cette année, achetez plutôt un sapin artificiel!

Je vais en _____ avec

_____ . On prend _____ à Paris.

d'un serpent
Afrique
des singes
en voiture
des zèbres
à l'hôtel
une tente
des kangourous
un ragoût de serpent
un hippopotame
mes parents
l'avion
un éléphant
des photos
des girafes
en vélo
du poulet-frites
au campement

On dort sous _____ dans la brousse.

Le matin, on voit les traces _____ devant la tente. J'ai peur, mais

Djabel nous dit qu'on a tué le serpent.

Après le petit déjeuner, on fait un safari _____ . Soudain, je vois

_____ . La voiture s'arrête. On prend _____ .

On continue et on voit _____ et _____ . Soudain, il fait

nuit et on rentre _____ .

Infinitif	Passé composé
aller	suis allé(e)
s'arrêter	s'est arrêté(e)
avoir	a eu
continuer	a continué
dire	a dit
dormir	a dormi
faire	a fait
prendre	a pris
rentrer	est rentré(e)
voir	a vu

Pour le dîner, il y a _____ .

b Que s'est-il passé? Raconte l'histoire.
Attention aux verbes:
Julie est allée ...

Présent	Imparfait
j'ai	j'avais
il y a	il y avait

Bilan

Check that you can ...

1	name the five oceans:	l'Atlantique, le Pacifique, l'Indien, l'Arctique et l'Antarctique
	and the five continents:	l'Eurasie, l'Afrique, l'Amérique, l'Australie et l'Antarctique
2	say where different countries are situated:	La Guadeloupe se situe dans l'hémisphère nord, près du Tropique du Cancer.
3	name the four seasons:	le printemps, l'été, l'automne, l'hiver
	and say something about the climate:	Au printemps, il pleut et il y a du vent. En été, il fait chaud. En automne, il fait du brouillard. En hiver, il fait froid et quelquefois il neige.
4	make comparisons and list differences between various countries:	En France il y a quatre saisons; à la Guadeloupe il y a deux saisons, la saison sèche et la saison des pluies.
5	talk about the different natural regions of the world:	En Afrique, il y a des forêts tropicales et des déserts.
	say what some of their problems are:	Dans les forêts, il y a trop de déboisement. Dans les grandes villes, il y a trop de pollution.
	and suggest ways in which people can help the environment:	Plantez un arbre. Economisez l'eau et l'essence.
6	list eight buildings in a town and say for whom they are intended:	Il y a un terrain de football pour ceux qui aiment jouer au foot.

Petit portrait

Fais un petit portrait de Jean-Luc,
oralement et par écrit.

Jean-Luc

GUADELOUPE

GRANDE-TERRE

BASSE-TERRE

Basse-Terre

COLLEGE
REMY NAINSOUTA

Bien dans ma peau

❶ *De la tête aux pieds*

1 A deux.

   a Combien de parties du corps pouvez-vous nommer en quatre minutes?
     Faites une liste.

   b Ecoutez: Combien de parties du corps est-ce que nous avons nommées?

     1 Cochez dans votre liste les mots que vous entendez.
     2 Ajoutez les mots que vous n'avez pas trouvés.
     3 Avez-vous trouvé d'autres mots?

2 Ecoute: Un peu de gymnastique

   a Qu'est-ce qu'on fait? C'est quelle image?

A

B

C

D
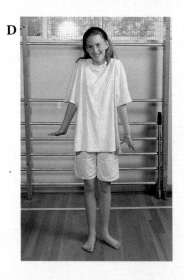

E

F

   b Ecoutez et faites les exercices!

3 A deux: Donnez des instructions à un(e) partenaire!

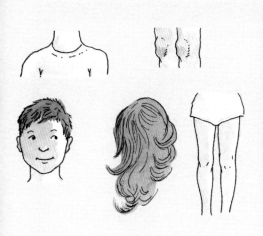

allongez
baissez
fermez
frappez
haussez
ouvrez
pliez
remuez
secouez
souriez
tirez
touchez
tournez

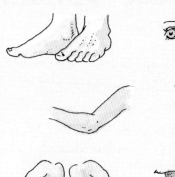

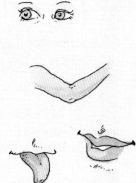

4 **a** Trouve le mot qui correspond à la partie du corps.

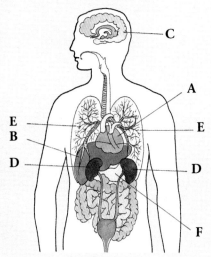

le cerveau
le coeur
l'estomac
le foie
les poumons
les reins

b C'est quelle partie du corps?   **c** Ecoute et vérifie.

1 Il commande, enregistre et analyse tout ce que tu fais et tout ce que tu penses.
2 Ils se remplissent d'air et font passer dans le sang l'oxygène dont ton corps a besoin pour vivre.
3 Ils retiennent tous les déchets que le sang a trouvés dans le corps et les transforment en urine.
4 Il marche comme une pompe. C'est un muscle qui fait circuler le sang dans tout le corps.
5 Il filtre le sang. Il garde en réserve les sucres dont on aura besoin en cas de fatigue.
6 Il mélange ce qu'on a mangé avec des enzymes et commence le processus de la digestion.

dont = *of which*
le sang = *blood*

Chez toi
Fais une liste d'exercices pour une leçon de gymnastique.

53

2 Ma peau

La peau recouvre tout notre corps. Elle est plus épaisse aux paumes des mains et aux plantes des pieds, et très fine aux paupières et aux lèvres. Elle permet au corps de garder une température de 37°C.

Les pores sont de minuscules ouvertures qui servent à éliminer des substances toxiques du corps. En moyenne nous éliminons chaque jour un litre de sueur à travers notre peau.

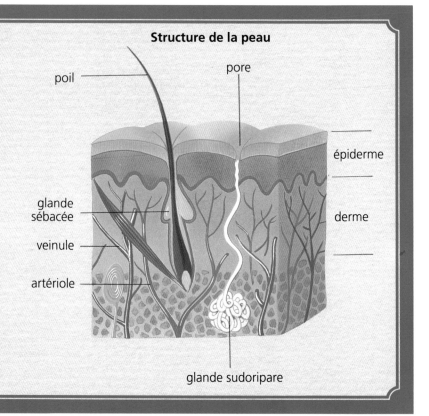

Structure de la peau

poil
pore
épiderme
glande sébacée
derme
veinule
artériole
glande sudoripare

J'ai 14 ans et depuis deux ans j'ai de l'acné sur tout le visage et sur le dos. C'est horrible, et je ne peux pas m'empêcher de toucher mes boutons. Ma mère me dit que ça passera, mais je commence à avoir des marques dans la peau.

Aidez-moi, je n'ose pas inviter une fille à sortir avec moi, de peur qu'elle se moque de moi.

Christophe

---

13 **1** A deux: Lisez les textes et faites la liste des mots inconnus. Cherchez-les dans le petit dico.

2 A deux: Choisissez un produit pour Christophe et expliquez-lui pourquoi.

Utilise ... parce que ...

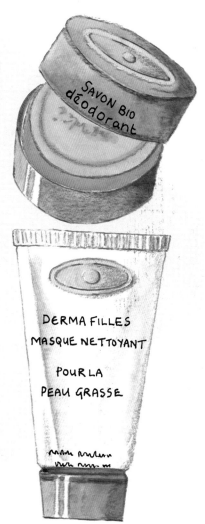

P'EAU GARÇONS   P'EAU FILLES

A l'adolescence la peau des garçons est plus épaisse et plus grasse que celle des filles et ses imperfections tout aussi gênantes. La nouvelle gamme de produits **P'eau** nettoie, traite et purifie la peau.

3 Ecoute: Choisis des produits pour Murielle et Arnaud.

4 Ecris des conseils pour un garçon comme Christophe.

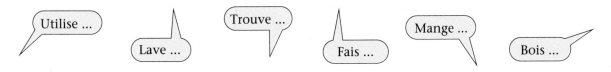

Utilise ...   Lave ...   Trouve ...   Fais ...   Mange ...   Bois ...

Chez toi
Ecris une réponse à la lettre de Christophe.

③ L'avenir dans vos mains

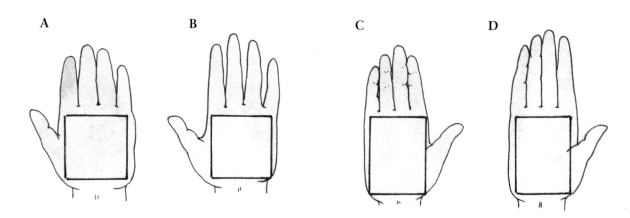

A   B   C   D

1   **a** Ecoute: C'est quel type de main? Terre, air, feu ou eau?

    b Trouve quelqu'un qui a ...

      1 la paume rectangulaire et les doigts courts
      2 la paume rectangulaire et les doigts longs
      3 la paume carrée et les doigts longs
      4 la paume carrée et les doigts courts.

2   **a** Ecoute: C'est quelle ligne?

> la ligne de coeur
> la ligne de destinée
> la ligne de tête
> la ligne de vie

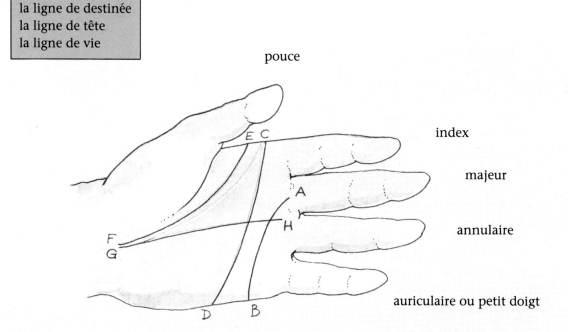

pouce

index

majeur

annulaire

auriculaire ou petit doigt

2 b A deux: Regardez la main d'Eric et 'lisez' son caractère.

La ligne de coeur

Ligne droite: une personne plus intellectuelle que sentimentale
Ligne courbe: une personne sentimentale et passionnée
La ligne se termine sous l'index: une personne équilibrée, confiante et pas jalouse
La ligne a des ramifications montantes: un caractère aimable et ouvert
Des ramifications descendantes: un caractère timide et réservé.

La ligne de tête

Très droite: une personne rationnelle
Courbe: une personne intuitive
Horizontale: manque d'imagination
Descendant parallèlement à la ligne de vie: amour de la vie.

La ligne de vie

Ligne de vie courte: on est capable d'efforts violents mais brefs
Ligne longue: on est capable d'efforts prolongés et réguliers
Ligne profonde: on a une existence tranquille
Ligne irrégulière: c'est le signe d'une vie turbulente, marquée de crises.

La ligne de destinée

Ligne régulière: on sait ce qu'on veut
La ligne n'est pas verticale: on changera souvent de métier et voyagera beaucoup
Ligne absente: indique qu'on aime la liberté et n'aime pas les règles.

c Ecris un résumé.

Exemple:
Eric a une ligne de vie …
Ça indique qu'il est/n'est pas … /qu'il a un caractère …

3 Horoscope

a Fais des recherches: Trouve les dates et mets les signes du zodiaque dans l'ordre chronologique.

b Prépare un horoscope pour ton journal …

Exemples:
Vous allez recevoir de l'argent
trouver un nouveau petit ami/
une nouvelle petite amie
faire un voyage
passer un moment difficile …
Il faut rester calme/faire des efforts/ranger votre chambre/ …

c … et pour ton/ta partenaire.

Exemple:
Tu vas avoir une bonne note en maths …

Bélier	Scorpion	Cancer	Capricorne
Taureau	Verseau	Lion	Gémeaux
Vierge	Sagittaire	Balance	Poissons

MINI-TEST 5

Can you …?

- name ten parts of the body
- give someone advice on health problems
- say what sort of person you are
- talk about the near future

Récréation

JEU-TEST   Es-tu à l'aise dans tes baskets?

1 Un copain/Une copine veut t'embarquer dans une soirée où tu ne connais personne.

  a Absolument pas!
  b Tu te dis que, peut-être, c'est l'occasion de faire des rencontres.
  c Tu adores l'imprévu.

2 Avant d'aller à une soirée

  a Tu te changes au moins cinq fois de tenue.
  b Tu prends une douche et t'habilles vite.
  c Tu y vas comme tu es.

3 A la soirée, ton/ta flirt insiste pour que tu fumes une cigarette.

  a Tu le fais parce que tous les autres fument.
  b Tu lui dis que tu as mal à la gorge.
  c Tu lui fais comprendre que tu ne veux pas et n'as pas l'intention de le faire, même pour lui/elle.

4 Tu te réveilles le matin avec un énorme bouton sur le nez.

  a Tu empruntes le fond de teint de ta mère et essaies de le camoufler.
  b Ça t'est complètement égal.
  c Tu dis à ton/ta flirt que tu ne peux pas aller à la soirée.

5 Tu supportes mal qu'on

  a t'ignore.
  b te critique.
  c te pose des questions.

6 Tu adores les fringues

  a sportives.
  b plutôt classiques.
  c à la mode.

Résultats

	a	b	c
1	■	●	▲
2	●	▲	■
3	■	●	▲
4	●	▲	■
5	▲	●	■
6	▲	■	●

Si tu as une majorité de ▲:
Tu es si bien dans ta peau que tu es peut-être trop sûr(e) de toi! Plus on te remarque, plus ton ego est flatté.

Si tu as une majorité de ●:
Tu sais t'accepter. Tu as confiance en toi, parce que tu minimises tes risques. Tu es ce qu'on appelle quelqu'un de 'zen'.

Si tu as une majorité de ■:
Oh, là, là! Calme-toi! Change de look. Accepte les sorties, confie-toi à tes amis. Sois plus positif/ve! Après tout, tu n'es pas plus mal qu'un(e) autre!

Trois poèmes

Mon coeur pour t'aimer
Raphaël pour Amélie

Même si je n'avais plus mes mains pour te toucher,
Même si je n'avais plus mes yeux pour te regarder,
J'aurais toujours mon coeur pour t'aimer.
Tu peux dire au soleil de ne plus briller,
Tu peux dire à la rivière de ne plus couler,
Mais ne me dis jamais de ne plus t'aimer.

Le Flash d'info
Aurore

Quand j'allume la télé
Je tombe sur le flash d'info
Et je revois toujours ces mêmes images,
Hommes, femmes, enfants,
Misérablement traités,
Et ces pauvres gens
Pleurant sur leur triste vie,
Et ces enfants
Forcés de se battre pour l'honneur du pays.
Ça sert à rien.

Petit chaton
Caroline

Un jour dans mon jardin
J'ai vu un animal félin
Son pelage est clair et foncé
Gros et très joliment zébré
Depuis il est devenu mon ami,
Je l'ai appelé 'mon pussy'
Ses yeux sont verts et malins
Son nez est rose et câlin
Depuis est née une tendre amitié
Qui à jamais restera liée.

④ On est ce qu'on mange

Les Aliments

ALIMENTS		COMPOSANT PRINCIPAL	ROLE
lait fromage yaourt		Calcium Protéines	bâtit/bâtissent le corps et les os
viande poisson	oeufs légumes secs	Protéines	nourrit/nourrissent les muscles et les organes
légumes verts fruits		Vitamines Fibres	protège/protègent le corps et favorise(nt) la digestion
pain pâtes riz céréales	farine pommes de terre légumes secs	Glucides	donne(nt) de l'énergie et de la graisse
beurre huiles	charcuterie noix	Graisses	donne(nt) de l'énergie et de la graisse
sucre chocolat confiture	bonbons gâteaux boissons sucrées	Sucre	donne(nt) de l'énergie et de la graisse
eau jus de fruits bouillons	soupes tisanes	Liquides	apporte(nt) l'eau

1 A deux.

a Qu'est-ce que c'est?

Exemple:
1, c'est un poulet.

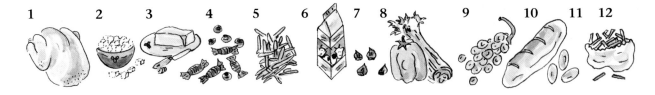

1   2   3   4   5   6   7   8   9   10   11   12

b Qu'est-ce que ça vous apporte?

A des protéines   **D** du calcium
B des vitamines   **E** des fibres
C des graisses   **F** des glucides

Exemple:

● Le poulet?
▲ A, des protéines. Les haricots verts?
● B, des vitamines et E, des fibres. Les oeufs?

c Qu'est-ce que vous en pensez? C'est bon ou pas?

Exemples:
A mon/notre avis,
   le poulet est bon.
   les bonbons ne sont pas bons.

> à mon/notre avis = *in my/our opinion*

d Ecoutez et vérifiez: Vous êtes d'accord ou pas?

2 a Ecoute: Qu'est-ce que nous avons mangé hier?

b A deux: A votre avis, c'est bon ou pas?

3 Ecris un article pour ton journal.

Exemple:
Des conseils alimentaires. Mangez bien!
La viande contient des protéines. Elle nourrit ...
Le lait contient du calcium et des protéines. Il bâtit ...
Les bananes sont des fruits. Ils nous donnent ...
Ils protègent ...

Attention aux verbes!		
Singulier		**Pluriel**
Masculin	**Féminin**	
Le lait/Il bâtit donne protège	La viande/Elle bâtit donne protège	Les fruits/Ils bâtissent donnent protègent

Continue:

Chez toi
Qu'est-ce que tu as mangé hier?
Fais une liste. C'est bon ou pas?

Exemple:
Hier, j'ai mangé ... C'est bon, parce que ...

⑤ *Bonne cuisine, bonne mine*

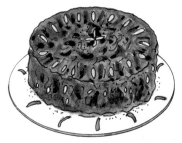

Gâteau aux noix et au chocolat

Pains maison au sésame

Gratin dauphinois

Bananes en papillotes

1 Ecoute.

   a Qu'est-ce qu'ils vont faire?

   b Qu'est-ce qu'ils doivent acheter?
      Fais des listes.

Le Gratin Dauphinois

Ingrédients

1 kg de pommes de terre	1 gousse d'ail
50 g de beurre	1 pincée de sel
250 g de crème fraîche	1 pincée de poivre
100 g de gruyère râpé	1 pincée de noix de muscade

Préparation
- Epluchez les pommes de terre et coupez-les en tranches.
- Mettez-en la moitié dans un plat beurré.
- Ajoutez la moitié de la crème fraîche.
- Assaisonnez avec du sel, du poivre, de l'ail et de la muscade.
- Ajoutez le reste des tranches de pommes de terre et de la crème fraîche, et assaisonnez de nouveau.
- Mettez au four, thermostat 6, pendant 45 minutes.
- Sortez du four et parsemez de gruyère râpé et de petits morceaux de beurre.
- Montez le thermostat à 7 et faites cuire pendant 15 minutes pour faire gratiner.
  Bon appétit!

---

2 **a** Prépare un gratin dauphinois.

   b Fais des recherches: Trouve et écris une recette pour ton journal.

3 A deux: Vous allez faire un potage aux légumes et une salade de fruits. Choisissez vos ingrédients et faites une liste.

Exemple:
Pour le potage: des oignons, des pommes de terre ...

4 **a** Ecoute: Qu'est-ce qu'ils achètent? Ça coûte combien?

b Au marché: Jeu de rôles

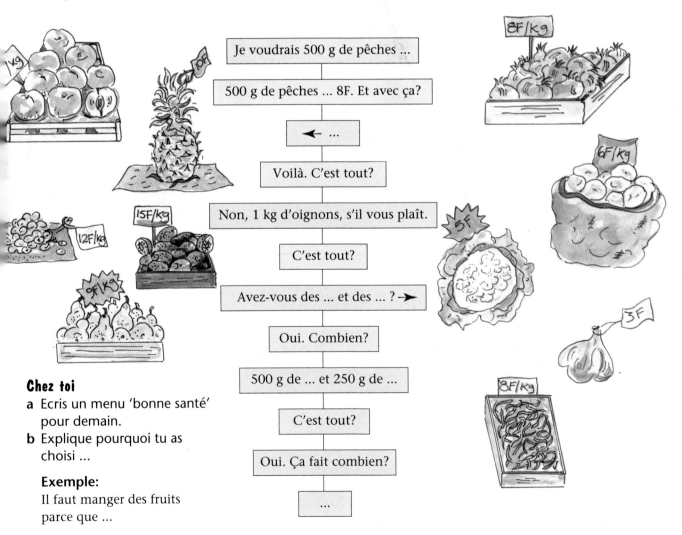

Je voudrais 500 g de pêches ...

500 g de pêches ... 8F. Et avec ça?

← ...

Voilà. C'est tout?

Non, 1 kg d'oignons, s'il vous plaît.

C'est tout?

Avez-vous des ... et des ... ? →

Oui. Combien?

500 g de ... et 250 g de ...

C'est tout?

Oui. Ça fait combien?

...

Chez toi
a Ecris un menu 'bonne santé' pour demain.
b Explique pourquoi tu as choisi ...

Exemple:
Il faut manger des fruits parce que ...

⑥ *Vive le sport!*

⚠️ **1 a** A deux: Combien de sports est-ce que vous pouvez nommer en quatre minutes?

🖥️ **b** Ecoute: Quels sports préfèrent-ils? (1–6)

2 a Quels sports pratiquent-ils?

1　　2　　3　　4

5　　6　　7　　8

9　　10　　11　　12

15 **b** C'est quelle sorte de sport?

16 **3** A deux: Chacun(e) prépare trois phrases sur trois sports.

Tu lis une phrase et ton/ta partenaire doit deviner: C'est quel sport?

S'il/elle le devine au bout d'une phrase, il/elle marque trois points, au bout de deux phrases: deux points, etc.

> **Mots-clés**
>
> On a ...
> On joue avec ...
> Il y a ...
> Le but du jeu, c'est de ...
> Celui qui a ... points gagne.
>
> une équipe
> une raquette
> une balle/un ballon
> un filet
> un joueur
> un terrain
> marquer un but

4 a Ecoute: J'ai mal ...! Qui parle?

Arnaud

Lydie

Pierrette

Laurent

Richard

Vanessa

b Ecoute une deuxième fois. C'est arrivé comment?

Exemples:
Il/Elle faisait ...
    s'est cassé ...
    s'est fait mal ...

★
de + le = du	à + le = au
de + la = de la	à + la = à la
de + les = des	à + les = aux

5 Prépare un quiz sur le sport pour ton journal.

MINI-TEST 6

Can you ...?

- name ten items of food
- say what sort of food they are
- say whether they are good for you or not
- describe what you ate yesterday
- talk about sports
- say where it hurts and why

Voyage au Centre de la Terre

7 La grande évasion

CAMPINGS		C1 à la Ferme	C2 du Lac	C3 des Dunes	C4 de la Forêt
TARIFS	Nombre d'emplacements	22	160	120	84
	Par personne	7F	12F	10,50F	8,50F
	Par emplacement	5F	15F	8F	8F
SERVICES	Magasin	○	●	●	○
	Restaurant	○	●	●	○
	Café/bar	○	●	●	●
ACTIVITES	Piscine	○	●	○	●
	Terrain de sport		●	●	●
	Tennis	○	●	●	○
	Voile ou planche		●	●	○
	Pêche	●	●	●	○
	Equitation	●	○	○	●

● à l'intérieur du camp
○ à l'extérieur du camp (5 km max.)

1 a Ecoute: Quel camping préfèrent-ils? (1–2)

b A deux: Quel camping préférez-vous? Pourquoi?

Exemple:
Je préfère le camping …
parce que c'est au bord de la mer.
qu'il y a une piscine/un terrain
de sport.

2 a Une lettre à un camping: Copie et complète la lettre.

```
                                    20 High Street
                                    Billington
                                    le 30 mai
Monsieur,
Avez-vous un _ _ _ _ _ _ _ _ _ _ _ pour une _ _ _ _ du 14
juillet _ _ 28 juillet?  Nous sommes deux _ _ _ _ _ _ et
trois _ _ _ _ _ _ _ . Nous _ _ _ _ _ une voiture.
Pouvez-vous m'envoyer une _ _ _ _ _ _ _ _ du camping, des
_ _ _ _ _ _ _ _ _ _ _ _ _ _ sur la _ _ _ _ _ et
m'indiquer les _ _ _ _ _ _ ? Est-ce qu'il y a une
_ _ _ _ _ _ _ ? Quels sports peut-on pratiquer?
Je vous remercie d'avance,
```

adultes
au
avons
brochure
enfants
emplacement
piscine
région
renseignements
tarifs
tente

b Ecris une lettre au camping que tu préfères. Commence:

Je voudrais réserver un emplacement …

Mes chers parents,
Je suis bien arrivée
au camping. Il fait
un temps super. On
va faire une
randonnée demain.
On est un peu les uns
sur les autres, enfin
ça peut aller ! Corinne

Salut Antoine !
Je t'écris des Gorges du Tarn.
Je suis en train de descendre la
rivière en kayak. C'est génial.
J'ai bu la tasse deux fois
aujourd'hui, et trois fois hier,
mais ce n'est pas grave, on
s'habitue. C'est marrant !!!
Adios,
Charles.

Salut Véro,
Je t'écris un petit mot de
l'hôtel des Goélands, où
je séjourne avec mes parents.
Il fait assez beau mais il
y a du vent qui envoie du
sable dans les yeux.
Je t'embrasse, Guillaume

Salut Pierre !
Le gîte est grand et
situé au milieu des
vignes et on entend les
grillons toute la
journée. Dehors, il
fait très chaud et il va
sûrement y avoir un
orage ce soir !
Je t'embrasse tendre-
ment
        Jacqui

3 **a** Où ont-ils passé leurs vacances?

   Ça s'est bien passé?

b Ecoute: Qui parle? (1–4)

c A deux: Ecrivez un résumé.

   Exemple:
   Corinne/Charles est allé(e) ...
   Elle/Il   a fait ...
                   s'est bien amusé(e).

Chez toi
Ecris une carte postale/une lettre à Guillaume.
Voici ce que tu as fait!

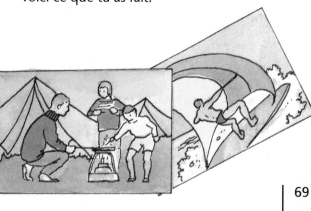

8 Les sports d'hiver

1 a Ecoute: C'est quel sport? (1–4)

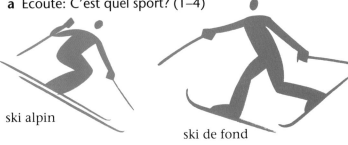

ski alpin

ski de fond

luge

surf

b Ecoute et note les résultats de notre sondage.

2 a L'équipement: Qu'est-ce que Pascale a choisi?

J'ai choisi les skis bleus, parce qu'ils sont moins longs; les chaussures de ski noires, parce que je préfère la couleur, les lunettes de soleil 'Loops' (elles sont plus modernes), l'anorak et le pantalon, parce que je n'aime pas les salopettes, et les gants au lieu des moufles, parce que les gants sont moins chers.

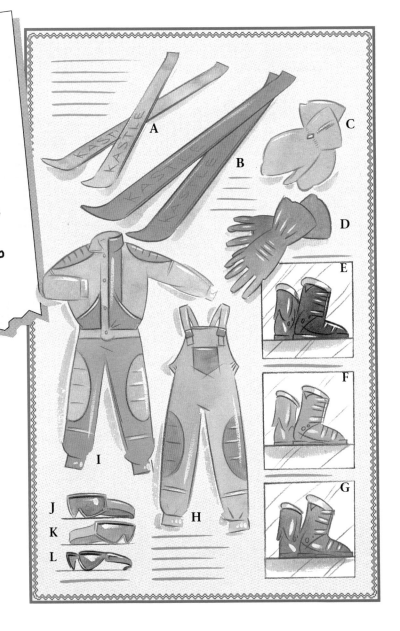

b Ecoute: Qu'est-ce que Martin a choisi?

c A deux: Choisissez votre équipement.
Dis à ton partenaire ce que tu as choisi et pourquoi.
Est-il/elle d'accord, ou pas?

Exemple:
J'ai choisi … parce que …

3 Ecoute: Trouve les pistes que Pascale va descendre.

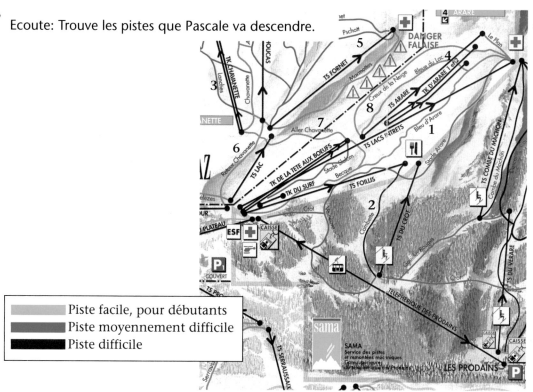

Piste facile, pour débutants
Piste moyennement difficile
Piste difficile

4 a Ecoute et lis: Une journée à la montagne

Quelle journée fatigante! Je me suis levée à 7h, j'ai avalé mon petit déjeuner et nous sommes partis en voiture. Le trajet a duré une heure. A 9h nous étions sur les pistes. Nous avons profité des grandes descentes toutes blanches, car il n'y avait encore personne.

Cela faisait deux ans que je n'étais pas montée sur des skis, mais je me suis quand même bien débrouillée. Evidemment, je suis tombée quelques fois au début.

En tout cas, le ski, ça donne faim! A midi, j'ai dû avaler 5 ou 6 sandwichs et boire un demi-litre de jus d'orange. J'étais avec mon père et mon oncle.

Enfin, on a bien rigolé et je me suis bien dépensée, c'est le principal, non?

Chez toi
Qu'est-ce qu'ils ont fait?

Exemple:
Elle est tombée et s'est cassé ...

b Vrai ou faux?

1 Pascale est allée au ski avec ses parents.
2 Ils sont partis à neuf heures.
3 Ils y sont allés en voiture.
4 Le voyage a duré une heure.
5 Il y avait beaucoup de monde sur les pistes.
6 Il faisait du brouillard.
7 Elle est beaucoup tombée.
8 A midi elle avait très faim.
9 Elle avait très soif.
10 Elle s'est bien amusée.

c Corrige les phrases qui sont fausses.

9 *Page de lecture*

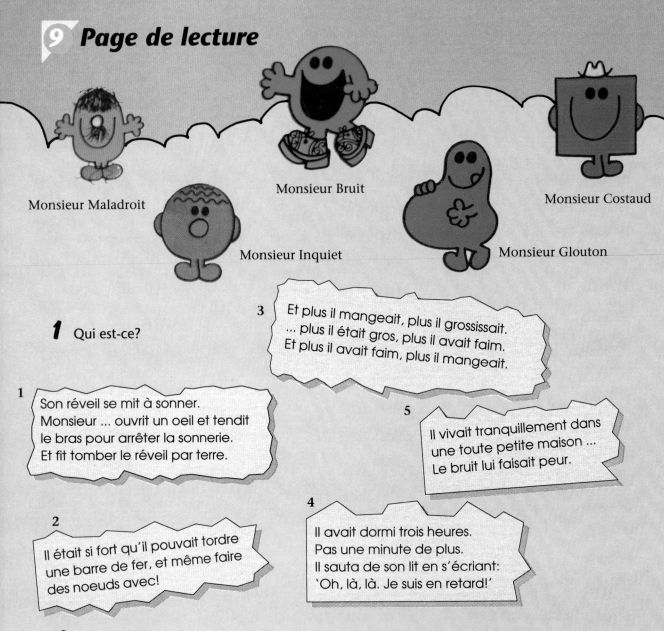

Monsieur Maladroit

Monsieur Bruit

Monsieur Costaud

Monsieur Inquiet

Monsieur Glouton

1 Qui est-ce?

3 Et plus il mangeait, plus il grossissait.
... plus il était gros, plus il avait faim.
Et plus il avait faim, plus il mangeait.

1
Son réveil se mit à sonner.
Monsieur ... ouvrit un oeil et tendit
le bras pour arrêter la sonnerie.
Et fit tomber le réveil par terre.

5
Il vivait tranquillement dans
une toute petite maison ...
Le bruit lui faisait peur.

2
Il était si fort qu'il pouvait tordre
une barre de fer, et même faire
des noeuds avec!

4
Il avait dormi trois heures.
Pas une minute de plus.
Il sauta de son lit en s'écriant:
'Oh, là, là. Je suis en retard!'

2 **a** A deux: Lisez la liste des traits de caractère. Traduisez-les en anglais.

Exemple:
● 'Grincheux'? Comment on dit en anglais?
▲ Je ne sais pas. Il faut regarder dans le petit dico.

nerveux/se	ambitieux/se	égoïste
indépendant(e)	bavard(e)	silencieux/se
branché(e)	gourmand(e)	gros(se)
sportif/ve	grincheux/se	stupide
maladroit(e)	farfelu(e)	timide
paresseux/euse	décontracté(e)	tranquille
original(e)	patient(e)	intelligent(e)
inquiet/iète	heureux/se	sportif/ve
ennuyeux/se	mince	

Monsieur Nigaud

Monsieur Pressé

Monsieur Grincheux

Monsieur Incroyable

Monsieur Silence

6 Il passa toute la journée à l'école. Quand le maître lui demanda de faire la lecture, il prit son livre à l'envers et lut.

9 Quand il partait faire ses commissions, il se demandait si ce n'était pas l'heure de fermeture des magasins. Quand il trouvait les magasins ouverts, il se demandait s'il aurait assez d'argent pour payer ses achats.

7 Si on lui demandait, par exemple: 'Quel est le contraire de noir?', il répondait: 'Euh! ... c'est ... euh ... rose!'

10 Il sortit de sa maison et claqua la porte derrière lui. CLAQUE! La porte trembla. La maison trembla. La colline entière trembla. Trembleville trembla. Et même un oiseau qui volait dans le ciel trembla.

8 Le lendemain matin, il alla dans son jardin. Sais-tu ce qu'il y fit? Il arracha toutes les fleurs! Toutes, sans exception!

b Fais des recherches: Choisis cinq adjectifs et trouve les contraires.

Exemple:
grincheux/se – heureux/se

c Quelle sorte de personne es-tu? Fais une liste de tes traits de caractère.

Chez toi
Choisis six traits de caractère et trouve une personne pour chacun.

Exemple:
Ma mère est patiente.

Bilan

Check that you can…

1	name ten parts of the body:	le corps, la tête, le bras, la main, les doigts … etc.
2	name ten items of food:	la viande, les légumes, les fruits … etc.
	say what sort of food they are:	les protéines, les glucides, les vitamines, les graisses, etc.
	and whether they are good for you or not:	Les bonbons, ce sont des sucres, ça donne de l'énergie et de la graisse. L'énergie c'est bon, la graisse n'est pas bonne.
3	say what you ate yesterday:	Hier, j'ai mangé …
	say what ingredients you would need to make a dish:	Pour faire un gâteau au chocolat, j'ai besoin de farine, de beurre, d'oeufs, de chocolat, etc.
	and ask for them in a French shop:	Je voudrais 500 grammes de … et 1 kilo de …
4	name five sports and say whether you like them or not and why:	J'aime la natation, parce que c'est bon pour la santé. J'aime le football, parce qu'on joue avec des copains.
5	name four things you need for a sport:	Pour le ski, on a besoin de skis, de bâtons, de lunettes de ski, de gants, etc.
6	write a letter to a campsite to book a pitch	
7	recognise the masculine and feminine forms of some adjectives and say what their opposites are	
	and name six different characteristics and say something about your own character:	Je suis nerveux/se, ambitieux/se, égoïste, indépendant(e) … etc.

Petit portrait

Fais un petit portrait de Jeanne,
oralement et par écrit.

Jeanne

Chic alors!

1 La Mode

1 a Lis et comprends.
Cherche les mots que tu ne connais pas dans le vocabulaire.

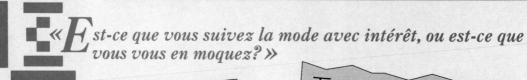

« *Est-ce que vous suivez la mode avec intérêt, ou est-ce que vous vous en moquez?* »

J'aime bien être à la mode. La mode m'intéresse beaucoup. J'aime bien regarder les défilés à la télé ou feuilleter des catalogues ou des magazines.
Coralie, 14 ans
Nantes

J'essaie d'exprimer ma personnalité par ma façon de m'habiller.
En ce qui concerne mon look, je ne suis ni classique ni branché, mais décontracté.
Nicolas, 15 ans, Marseille

Pour mon frère, la mode c'est une sorte d'uniforme. Il porte les mêmes vête-ments et marques que les copains de sa classe. S'il n'a pas de baskets de la même marque que ses copains, il préfère rester à la maison plutôt que sortir. Nathalie, 15, Rouen

Voici en quelques mots ce que représente la mode pour moi. C'est un moyen d'exprimer mon humeur. Ce n'est pas parce que l'un de mes copains a un blouson Naf-Naf ou un jean Levi's que je vais courir l'acheter. Brice, 16, Paris

b Qui est-ce?

1

2

3

4

c Ecoute et vérifie.

d Ecoute: Qui parle?

⚠ **2 a** A deux.

Les vêtements: Faites une liste de vêtements en quatre minutes.

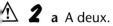

b 1 Ecoutez: Cochez sur votre liste les vêtements nommés.

2 Ecoutez encore une fois et ajoutez les vêtements qui ne sont pas sur votre liste. Combien de mots avez-vous?

3 a A deux: Révisez les couleurs ...

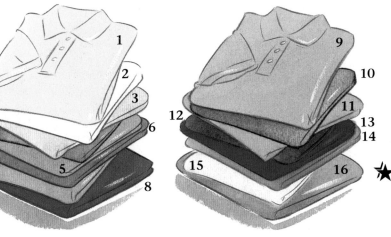

C'est en:	
*blanc	beige
*noir	*écru
marron	rose vif
vert pâle	turquoise
jaune	bleu foncé
gris foncé	abricot
corail	parme
	*violet

★ * Attention au féminin!
le polo blanc/la chemise blanche

... et les descriptions.

à pois
à rayures
uni
imprimé
multicolore
en coton
en laine
en polyester/acrylique
en jersey

b Qu'est-ce que tu portes en ce moment?

Exemples:
Je porte une chemise bleue/un chemisier bleu en coton.
un pantalon noir en acrylique.

Chez toi
a Qu'est-ce que tu portes quand tu vas au collège?
b Comment tu t'habilles pour être bien dans ta peau?

«Chacun est libre de créer sa propre mode, mais l'essentiel est de s'habiller pour être bien dans sa peau.»
D'accord ou pas?

② *Les chaussures*

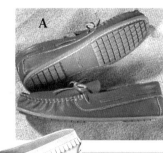

G

A

les sandales
les tennis
les chaussures de fitness
les mocassins
les chaussures de foot
les baskets
les sabots
les chaussures de jogging

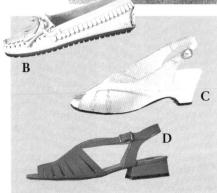

B

C

D

H

I

J

L

E

F

M

K

1 **a** Ecoute: Combien ça coûte? (1–8)

b Ecoute: Qu'est-ce qu'ils vont acheter?

c A deux: Discutez avec un(e) partenaire!

Comment trouves-tu ...?

Quelles chaussures préfères-tu?

Ils/Elles sont ...

2 A deux: Qu'est-ce qui ne va pas?

Exemple:
D: Elles sont trop petites.

| Elles | sont | trop petites/étroites/larges/grandes/chères |
| Ils | | petits/étroits/larges/grands/chers |

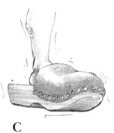

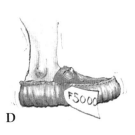

A

B

C

D

E

3 A deux: Jeu de rôles

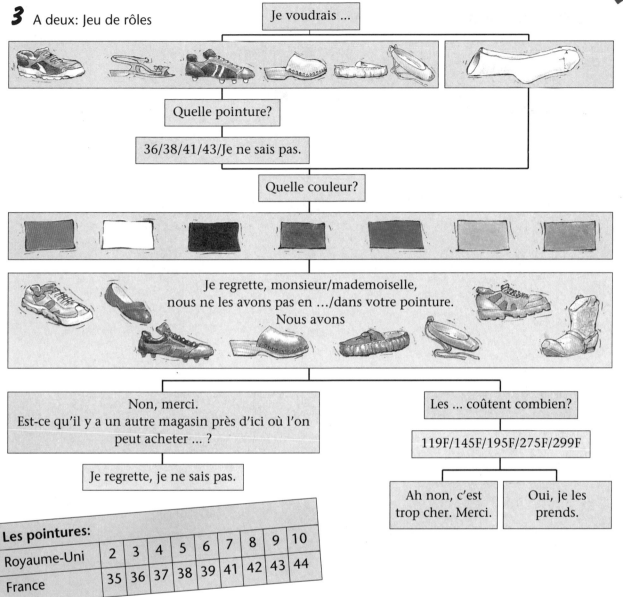

Je voudrais ...

Quelle pointure?

36/38/41/43/Je ne sais pas.

Quelle couleur?

Je regrette, monsieur/mademoiselle,
nous ne les avons pas en .../dans votre pointure.
Nous avons

Non, merci.
Est-ce qu'il y a un autre magasin près d'ici où l'on peut acheter ... ?

Je regrette, je ne sais pas.

Les ... coûtent combien?

119F/145F/195F/275F/299F

Ah non, c'est trop cher. Merci.

Oui, je les prends.

Les pointures:

Royaume-Uni	2	3	4	5	6	7	8	9	10
France	35	36	37	38	39	41	42	43	44

4 Jouez en groupe.

Choisis une paire de chaussures.
Note-la en secret.
Puis choisis une paire de chaussures pour
4 ou 5 copains/copines et note-les (toujours en secret).

Demande aux copains/copines quelles chaussures ils/elles ont choisies!

Exemple:
● Qu'est-ce que tu as choisi comme chaussures?
▲ J'ai choisi ...
● Oui, c'est ça. Je marque un point.
  Ah non, ce n'est pas ça. Aucun point.

Chez toi
a Qu'est-ce que tu portes?
b Qu'est-ce que tu fais?

Exemple:
Je porte des ... parce qu'il pleut.

3 *Le prix de votre look*

Pour lui:

un fort goût d'Amérique

Pour elle:

Peace and Love!

1 a Ecoute: Ça coûte combien?

b A deux: Qu'est-ce qu'ils portent?
Qu'est-ce que vous en pensez?

Chouette!

Super chouette!

Génial!

Classe!

Super cool!

Sympa!

Elle	porte	un gilet beige en coton.	Je le trouve très cool.
Il		une casquette.	Je ne la trouve pas jolie. Bof! Elle ne me plaît pas.
		des chaussures vertes.	Je n'aime pas la couleur. Je les trouve affreuses.

2 C'est lui ou elle?

A

> Je ne suis pas un mouton.
>
> Je cultive mon propre style.

B

> Le plus important est de s'habiller à la mode, de faire comme tout le monde.
> Je ne pourrais jamais m'habiller en dehors de mon époque, dans le style des années 30 ou 60, par exemple.

3 **a** C'est plus important pour toi de 'cultiver ton look à toi' ou de 'faire comme tout le monde'?

b A deux: Discute avec un(e) partenaire. C'est quoi, ton look à toi?

4 Styliste d'un jour! Dessine un look et décris-le.
Regarde dans des magazines et découpe des images.
Prépare un dessin et un texte pour ton journal.

Bon anniversaire Chuck!

La basket Chuck Taylor All Star de Converse a fêté ses 75 ans.
Noires ou blanches à l'origine, elles ont été rejointes entre autres par des écossais, des rose vif, et même des batik. La ligne de cette année comprend le fameux modèle «Stars and Bars», reprenant le drapeau américain. Dans tous les magasins de sport.

MINI-TEST 7: TON 'LOOK'

Can you ... ?
- describe what you are wearing
- say what you like to wear and what you don't like
- explain what you want to buy and what size and colour you want
- say what is wrong with something
- ask how much something costs and tell someone else the price

Récréation

fiche d'identité

Nom: Farmer.
Prénom: Mylène.
Date de naissance: 12 septembre 1961.
Lieu de naissance: Montréal (Canada).
Signe astrologique: Vierge ascendant Vierge.
Taille: 1,67 m.
Situation de famille: célibataire, pas d'enfants.
Animaux domestiques: deux singes capucins, E.T. et Léon.
Son père: ingénieur des Ponts et Chaussées.
Sa première envie: faire du cinéma avant la chanson (a suivi des cours de théâtre).
Elle adore: Thierry Mugler, Salvador Dali, la peinture abstraite, les animaux sauvages (tigre, loup, singe) et ce qui lui est interdit...
Elle déteste: les interviews indiscrètes, la peine de mort, la vulgarité et la couleur rose.
Qualité: honnête.
Défaut: un peu trop nerveuse.
Discographie: 1er disque «Maman a tort» (tube de l'été 1984). Ses plus grands succès: «On est tous des imbéciles», «Libertine», «Sans contrefaçon», «Pourvu qu'elles soient douces», «Ainsi soit-je», «Beyond my control», «Que mon coeur lâche».
Prix: elle vient d'obtenir un disque de diamant pour son album «L'autre» vendu à plus d'un million d'exemplaires (les autres lauréats sont Michael Jackson et Dire Straits). Elle en avait déjà obtenu un pour «Ainsi soit-je».
Ses projets: «Que mon coeur lâche» va bientôt sortir en anglais. Elle tourne actuellement son premier film avec Laurent Boutonnat en Tchécoslovaquie.

CLAUDIA SCHIFFER

Nom: Schiffer
Prénom: Claudia
Née le: 25 août 1971
Lieu de naissance: Düsseldorf (Allemagne)
Signe astrologique: Vierge
Taille: 1,81 m
Poids: 60 kg
Yeux: bleus
Cheveux: blonds
Situation de famille: célibataire
Où lui écrire: Revlon, 23 rue Boissière, 75116 Paris.

ARNOLD SCHWARZENEGGER

Nom: Schwarzenegger
Prénom: Arnold Aloïs
Né le: 30 juillet 1947
Lieu de naissance: Graz
Signe astrologique: Lion
Taille: 1,88 m
Poids: 95 kg
Yeux: marron
Cheveux: bruns
Situation de famille: marié, deux filles
Où lui écrire: chez Oak Productions, 321 Hampton Drive, Venice, CA 90291, USA.

Créateur chéri des stars, **Jean-Paul Gaultier**, qui a créé sa première collection à 14 ans, et qui est devenu célèbre en habillant Madonna.

Ecris la fiche d'identité d'une personnalité vraie ou bien imaginaire pour ton journal.

Le langage du corps

Certains gestes te permettent de juger quelqu'un:

le regard qui va et vient signifie un manque de sincérité ou une grande timidité

la tête baissée, les épaules voûtées – quelqu'un qui se sent l'éternelle victime

les ongles rongés – montrent une personnalité nerveuse, anxieuse

tics, mouvements involontaires – signifient que la personne souffre d'un manque de confiance

les bras croisés – la personne ne veut pas changer d'avis, elle refuse toute discussion

les mains derrière le dos – un manque de franchise; la personne ne dit pas toute la vérité, mais cache quelque chose

les jambes croisées – un désir de se protéger

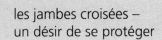

les mains qui s'agitent – montrent un désir de persuader ou convaincre l'autre

se toucher l'oreille – signifie qu'on veut écouter et qu'on trouve la conversation intéressante

Vrai ou faux? Qu'est-ce que tu en penses?
Connais-tu d'autres signes?

4 J'ai perdu mon sac

1   **a**   C'est quel sac?

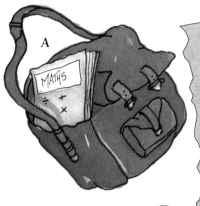

A

Mon sac est assez grand. Il est bleu et rouge avec un motif Naf-Naf. Il a deux poignées et une fermeture éclair. Il y a une étiquette avec mon nom, attachée à la poignée. Dans mon sac, il y a mes livres et ma trousse.

Jean-Luc

B

G

H

J'ai perdu un sac plastique. Il est blanc. Il y a la marque d'un magasin dessus. A l'intérieur, il y a mes affaires pour la natation, mon maillot de bain, une serviette et mon shampooing.

Nathalie.

E

F

I

J

b   Ecoute: Qu'est-ce qu'ils ont perdu? (1–6)

c   A deux: A tour de rôle, choisissez un objet et décrivez-le.
Le/La partenaire doit deviner lequel c'est.

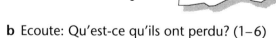

Singulier			Pluriel		
Mon sac/Ma valise	est	grand(e)	Mes gants/Mes chaussures	sont	grand(e)s
Il/Elle	a	un motif ...	Ils/Elles	ont	un motif ...

2   **a**   Au téléphone: Qu'est-ce qu'ils ont perdu?

Ecoute et note: **1** le nom;   **2** l'adresse;   **3** l'objet perdu.

b A deux: Au bureau des objets trouvés
Qu'est-ce que vous avez perdu? Travaillez ce dialogue.

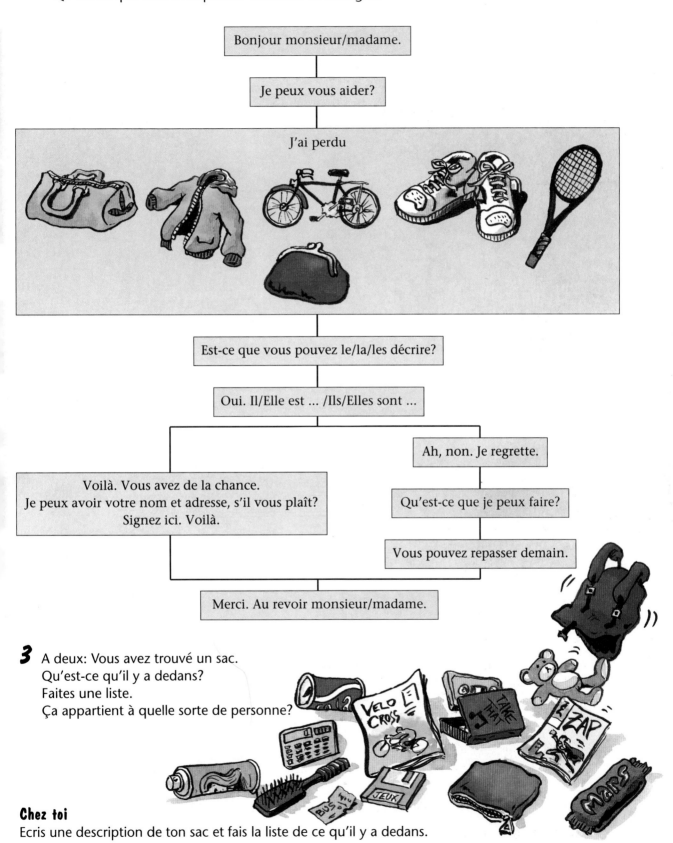

Bonjour monsieur/madame.

Je peux vous aider?

J'ai perdu

Est-ce que vous pouvez le/la/les décrire?

Oui. Il/Elle est ... /Ils/Elles sont ...

Ah, non. Je regrette.

Voilà. Vous avez de la chance.
Je peux avoir votre nom et adresse, s'il vous plaît?
Signez ici. Voilà.

Qu'est-ce que je peux faire?

Vous pouvez repasser demain.

Merci. Au revoir monsieur/madame.

3 A deux: Vous avez trouvé un sac.
Qu'est-ce qu'il y a dedans?
Faites une liste.
Ça appartient à quelle sorte de personne?

Chez toi
Ecris une description de ton sac et fais la liste de ce qu'il y a dedans.

1A

2A

1B

2B

3A

4A

3B

4B

1 **a** A deux: Trouvez les différences!

Exemple:

Au début du 20e siècle, les joueurs de tennis portaient ...
Maintenant, on porte ...

Attention! Masculin ou féminin, singulier ou pluriel?	

On portait un short plus long.
                 une jupe plus longue.
	Maintenant, on porte un short plus court.
	                              une jupe plus courte.

Les raquettes/Les skis étaient en bois. Elles/Ils étaient plus lourd(e)s.	Maintenant, elles/ils sont en graphite. Elles/Ils sont moins lourd(e)s.

Cherchez les mots que vous ne connaissez
pas dans le petit dico.

Exemple:
- ● Comment dit-on 'heavy' en français?
- ▲ 'Lourd'.
- ● Et 'light'?
- ▲ Je ne sais pas. Il faut le chercher.

b Quelle est la meilleur tenue, A ou B? Pourquoi?

Exemple:

Selon nous, la tenue de cycliste B est meilleure
parce qu'elle est plus légère et plus aérodynamique.

2 Ecoute: On va au camp de loisirs.

a Qu'est-ce qu'on va faire?

b Qu'est-ce qu'ils emportent?

c Qu'est-ce qu'on va emporter?

3 On fait la lessive. Qu'est-ce qu'ils ont fait?

Exemple:
Il/Elle a fait ...
Il/Elle est allé(e) ...

Chez toi

Hier et aujourd'hui: Choisis deux activités et fais
une liste des différences entre ce qu'on
portait/avait dans les années 20 et ce qu'on
porte/a aujourd'hui.

6 *Un défilé de mode*

coton naturel

viscose

jersey imprimé

crêpe de soie

bouton

1 Ecoute: Qu'est-ce qu'ils portent?
C'est quelle image?

2 On fait un défilé de mode

   a Préparations pour la classe:
     La classe se divise en deux groupes.
     Chaque groupe va présenter un défilé de mode.
     Invitez un prof ou une autre classe à juger les
     défilés. Quelqu'un de l'autre groupe peut
     filmer votre défilé.

   b Préparations pour chaque groupe: Décidez ensemble
     ce qu'il faut faire. Faites une liste ensemble.

   Exemples:
   Il faut envoyer des invitations/faire de la pub/répartir les tâches/choisir la musique ... etc.

A   B

jersey de coton

soie nature imprimée

serge délavée

coton peigné

fermeture éclair

80% laine
20% polyester

C

D

c A deux: Choisissez vos tenues pour le défilé. Décidez ensemble ce que vous allez porter. Préparez un commentaire sur la tenue de votre partenaire.

Exemple:

Marc porte une tenue de sport branchée. Il porte ...

Travaillez et enregistrez vos présentations.

MINI-TEST 8

Can you ... ?

- describe a bag that you have 'lost' and its contents
- make comparisons by saying what used to be worn/used and what is worn/used now for various activities
- list what you need to take on an activity holiday
- describe what someone is wearing in some detail

Récréation

Les jours fériés

En France, il y a onze jours fériés.
Devine: C'est quelle fête?

la Fête du Travail
la Fête Nationale
le jeudi de l'Ascension
l'anniversaire de l'Armistice de 1918
l'anniversaire de la fin de la Deuxième
Guerre Mondiale en 1945

le Jour de l'An
le jour de Noël
le lundi de Pâques
l'Assomption
le lundi de Pentecôte
la Toussaint

Faites des recherches: C'est à quelle date?

1er janvier

12 avril

1er mai

8 mai

20 mai

31 mai

14 juillet

15 août

25 décembre

11 novembre

1er novembre

Les jours de fête autour du monde: C'est quelle photo?

> Le Carnaval de Rio
> Fasching en Allemagne
> Thanksgiving aux Etats-Unis
> Noël en Australie
> La fête du Nouvel An à Hong-Kong

7 *Chers lecteurs!*

1 a Tu travailles pour la revue 'Bonne Vie'.
Lis les lettres suivantes et choisis la bonne réponse à chacune.

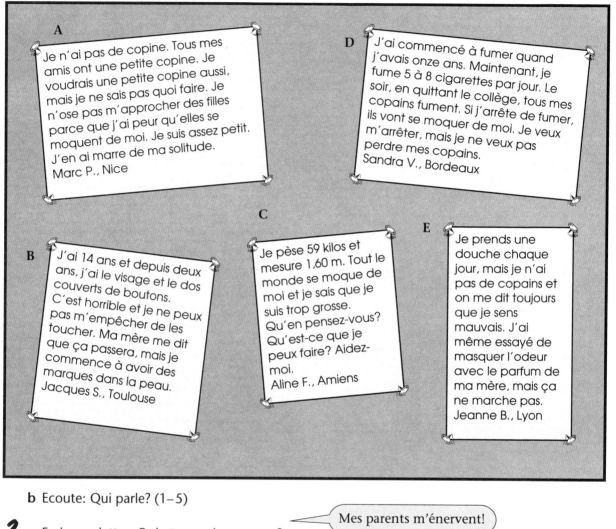

A

Je n'ai pas de copine. Tous mes amis ont une petite copine. Je voudrais une petite copine aussi, mais je ne sais pas quoi faire. Je n'ose pas m'approcher des filles parce que j'ai peur qu'elles se moquent de moi. Je suis assez petit. J'en ai marre de ma solitude.
Marc P., Nice

D

J'ai commencé à fumer quand j'avais onze ans. Maintenant, je fume 5 à 8 cigarettes par jour. Le soir, en quittant le collège, tous mes copains fument. Si j'arrête de fumer, ils vont se moquer de moi. Je veux m'arrêter, mais je ne veux pas perdre mes copains.
Sandra V., Bordeaux

B

J'ai 14 ans et depuis deux ans, j'ai le visage et le dos couverts de boutons. C'est horrible et je ne peux pas m'empêcher de les toucher. Ma mère me dit que ça passera, mais je commence à avoir des marques dans la peau.
Jacques S., Toulouse

C

Je pèse 59 kilos et mesure 1,60 m. Tout le monde se moque de moi et je sais que je suis trop grosse. Qu'en pensez-vous? Qu'est-ce que je peux faire? Aidez-moi.
Aline F., Amiens

E

Je prends une douche chaque jour, mais je n'ai pas de copains et on me dit toujours que je sens mauvais. J'ai même essayé de masquer l'odeur avec le parfum de ma mère, mais ça ne marche pas.
Jeanne B., Lyon

b Ecoute: Qui parle? (1–5)

2 a Ecris une lettre. Qu'est-ce qui ne va pas?

> Mes parents m'énervent!

> J'ai un problème avec ...

> J'ai la figure pleine de boutons.

> Ça m'embête quand ...

b A deux: Echangez vos lettres avec un(e) partenaire et écrivez
une réponse en donnant des conseils.

Exemples:
- faire un régime/des exercices/du sport/du yoga
- manger beaucoup de fruits et de légumes
- lire un roman; sucer des bonbons; acheter du chewing-gum
- boire du lait chaud; prendre un bain

c Choisis des lettres et des réponses pour: **1** ton journal; **2** le journal de la classe.

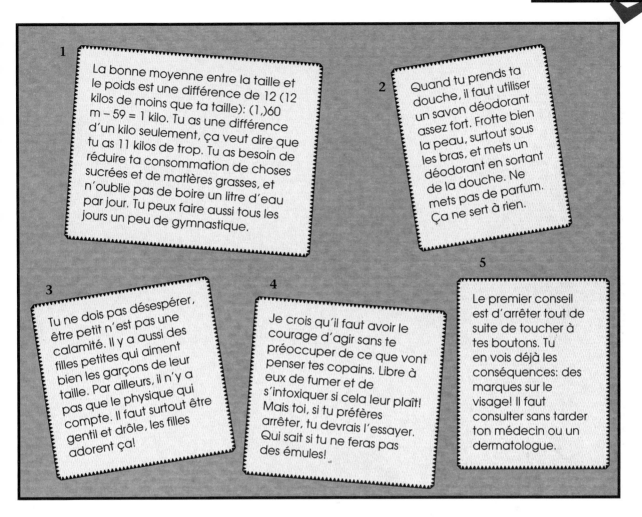

1 La bonne moyenne entre la taille et le poids est une différence de 12 (12 kilos de moins que ta taille): (1,)60 m – 59 = 1 kilo. Tu as une différence d'un kilo seulement, ça veut dire que tu as 11 kilos de trop. Tu as besoin de réduire ta consommation de choses sucrées et de matières grasses, et n'oublie pas de boire un litre d'eau par jour. Tu peux faire aussi tous les jours un peu de gymnastique.

2 Quand tu prends ta douche, il faut utiliser un savon déodorant assez fort. Frotte bien la peau, surtout sous les bras, et mets un déodorant en sortant de la douche. Ne mets pas de parfum. Ça ne sert à rien.

3 Tu ne dois pas désespérer, être petit n'est pas une calamité. Il y a aussi des filles petites qui aiment bien les garçons de leur taille. Par ailleurs, il n'y a pas que le physique qui compte. Il faut surtout être gentil et drôle, les filles adorent ça!

4 Je crois qu'il faut avoir le courage d'agir sans te préoccuper de ce que vont penser tes copains. Libre à eux de fumer et de s'intoxiquer si cela leur plaît! Mais toi, si tu préfères arrêter, tu devrais l'essayer. Qui sait si tu ne feras pas des émules!

5 Le premier conseil est d'arrêter tout de suite de toucher à tes boutons. Tu en vois déjà les conséquences: des marques sur le visage! Il faut consulter sans tarder ton médecin ou un dermatologue.

3 Jeu-test: Quelle sorte de personne es-tu?

Ça t'énerve quand ... ?

	Beaucoup (3 points)	Un peu (2 points)	Pas du tout (1 point)
1 tu trouves le tube de dentifrice sans bouchon	....	....	....
2 tu ne trouves pas le tube de dentifrice	....	....	....
3 la bouteille de shampooing est vide	....	....	....
4 ton frère/ta soeur vient dans ta chambre	....	....	....
5 tu dois ranger ta chambre	....	....	....
6 quelqu'un prend tes affaires sans te demander	....	....	....
7 ta mère te dit: Tu ne sors pas habillé(e) comme ça	....	....	....
8 ton père te dit: Il faut rentrer avant neuf heures	....	....	....
9 il faut sortir le chien	....	....	....
10 il n'y a rien à boire dans le frigo	....	....	....

26+ points: Tu t'énerves trop vite. Calme-toi!
18+ points: Félicitations! Tu te sens bien dans ta peau.
moins de 18 points: Tu es trop relax. Bouge-toi un peu!

Chez toi
Ecris un jeu-test pour ton journal.

8 *Le racket au collège*

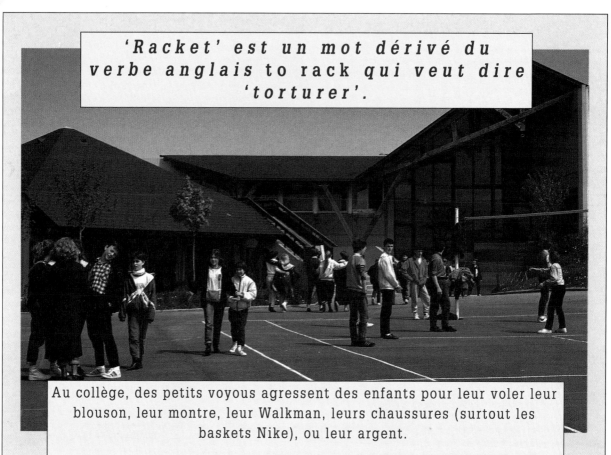

'Racket' est un mot dérivé du verbe anglais to rack qui veut dire 'torturer'.

Au collège, des petits voyous agressent des enfants pour leur voler leur blouson, leur montre, leur Walkman, leurs chaussures (surtout les baskets Nike), ou leur argent.

En général, les victimes gardent le silence par peur des représailles.

Les racketteurs prennent pour cible des écoliers entre 11 et 15 ans qui sont souvent timides et manquent de confiance en eux. Par la suite, ces enfants deviennent encore plus renfermés et perdent parfois l'appétit. On dirait qu'ils se sentent coupables de ce qui leur est arrivé! C'est pourquoi ils se taisent.

Une victime sur dix, seulement, porte plainte.

le voyou = *hooligan*	en eux = *in themselves*	se taire = *to keep quiet*
la cible = *target*	par la suite = *later on*	porter plainte = *to make a*
les représailles = *reprisals*	parfois = *sometimes*	*complaint*
manquer de = *to lack*	coupable = *guilty*	

1 A deux: Sondage (page 95)
Discute avec un(e) partenaire.

jamais = *ever*
ne … jamais = *never*
connaître = *to know*
ne … personne = *nobody*

Au collège

1 Est-ce que vous avez déjà 'racketté' quelqu'un?
   Oui. J'ai racketté quelqu'un une fois.   a
   Oui. Plusieurs fois.   b
   Non. Je ne l'ai jamais fait.   c

2 Est-ce que vous connaissez des racketteurs?
   Oui. Je connais quelqu'un.   a
   Oui. Plusieurs personnes.   b
   Non. Je ne connais personne.   c

3 Est-ce que vous avez déjà été victime du racket?
   Oui. Quelqu'un m'a racketté(e) une fois.   a
   plusieurs fois.   b
   Non. Je n'ai jamais été victime.   c

4 Est-ce que vous connaissez quelqu'un qui a été victime?
   Oui. Je connais quelqu'un.   a
   Oui. Plusieurs.   b
   Non. Je ne connais personne.   c

Résultats

Une majorité de **a**: Le racket existe mais ne pose pas de grands problèmes.

Une majorité de **b**: Le racket est un problème que vous connaissez dans votre établissement. Qu'est-ce que vous pouvez faire pour régler ce problème?

Une majorité de **c**: Ou bien vous avez vraiment de la chance ou bien vous êtes un peu naïf/ve!

2 A deux: Qu'est-ce qu'on peut faire? Discute avec ton/ta partenaire.

D'accord ou pas? Il faut:

1 éviter d'apporter d'objets de valeur au collège.
2 parler aux parents.
3 éviter d'apporter beaucoup d'argent au collège.
4 parler aux profs.
5 accéder aux demandes des racketteurs.
6 éviter de tenter les racketteurs en portant des vêtements de grande marque comme Nike, Chevignon, etc.
7 parler aux copains.
8 laisser son Walkman à la maison.
9 s'habiller sobrement pour ne pas attirer l'attention.

Exemples:

Oui, il faut ...   parce que ...
Non, il ne faut pas ... par risque de représailles.
                 parce qu'ils ne comprennent pas.
                       ne font rien.
                       reviendront.
                 parce que c'est encore pire.

pire = *worse*

Chez toi

Donne trois conseils à une victime:
Qu'est-ce qu'il/elle pourrait faire pour ne pas être racketté(e)?

9 *Je bouquine*
Journal intime de Corinne

Lundi.

Ça a été assez dur de se lever ce matin. Mon réveil n'a pas sonné, mon père s'est précipité pour ouvrir la porte de ma chambre (qui a claqué contre l'armoire), allumer la grande lumière et <u>gueuler</u>: 'Allez, dépêche-toi! Tu vas <u>louper ton car</u>!'

Après m'être préparée et avoir avalé 2, 3 trucs qui traînaient sur la table de la cuisine, je suis allée prendre le bus. Arrivée au collège, j'ai retrouvé mes copains et je suis allée en cours de maths avec un contrôle!

Ensuite ça a été la récré, ce qui me fait 'rire' en récré c'est de voir <u>les mecs</u> avec <u>la clope au bec</u>, ils <u>font les gros durs</u> et puis dès qu'un <u>pion</u> arrive, ils l'écrasent discrètement pour ne pas se faire <u>gauler</u>.

La cigarette et l'alcool, c'est vraiment <u>bidon</u>! C'est le contraire de la vie, une sorte de mort douce. Alors quand je vois des ados de mon âge avec la canette de bière dans une main et une clope dans l'autre ça me fait carrément pitié!

Bon, après le cours de français et le sport, j'ai mangé à la cantine. Pour une fois c'était mangeable, je dirais même bon!

Une fois les cours de l'après-midi terminés, j'ai pris le car de 5h, et je suis rentrée chez moi. J'ai parlé un peu avec mon père (pour une fois) et j'ai goûté devant la télé.

Tiens, en parlant de cigarettes, je crois que mon petit frère va se souvenir de cette journée, en tout cas je l'espère.

Je m'explique: quand je suis rentrée du collège vers 5h30, je suis montée dans sa chambre et qu'est-ce que j'ai vu sur son bureau, une cigarette! Je me suis précipitée sur lui et lui ai demandé comment il l'avait eue. Il m'a expliqué que c'était un copain qui la lui avait donnée, mais qu'il n'avait pas l'intention de la fumer.

Je l'ai engueulé (pire que mon père) et je lui ai fait promettre de ne jamais retoucher à cette <u>saloperie</u>. Le pauvre, il était au bord des larmes, mais au moins je suis sûre qu'il ne recommencera pas.

1 a Lis et écoute.

b Corinne uses quite a lot of slang in her diary. You should not try to use the underlined words yourself, as they can only be used in the right context and it is very easy to give offence, but you should be able to understand them.

s'empresser = *to rush*	dès que = *as soon as*
gueuler = *to bawl (Ferme ta gueule! = Shut your mouth!)*	un pion = *a supervisor*
louper le car = *to miss the bus*	écraser = *to crush*
avaler = *to swallow*	se faire gauler = *to get beaten up*
traîner = *to pull, drag (here: to lie around)*	bidon = *metal container (here: rubbish/ the pits)*
les mecs = *blokes*	des ados = *des adololescents*
la clope au bec = *fag in mouth (lit. beak)*	engueuler = *to shout at*
ils font les gros durs = *they make out they are hard/tough*	carrément = *squarely, bluntly (here: really)*
	la saloperie = *filth*

2 a Vrai ou faux?

	Vrai	Faux	Je ne sais pas
1 Sa mère l'a réveillée.			
2 Elle n'a rien mangé pour le petit déjeuner.			
3 Elle est arrivée en retard au collège.			
4 Son père l'amène au collège en voiture.			
5 Elle a eu un contrôle en maths.			
6 Le repas de midi à la cantine a été bon.			
7 Elle s'entend bien avec son frère.			
8 Elle est timide.			
9 Elle fume.			
10 Son frère fume.			

b Corrige les phrases qui sont fausses.

Les rêves en couleurs

Si vous rêvez en bleu, cela signifie que vous êtes dans une période d'adaptation et de douceur. Le jaune symbolise souvent l'intuition. Le vert correspond à un moment d'indécision; le rouge, une très forte attirance pour le sexe opposé, la passion; le noir, l'inquiétude; et le blanc, une porte qui s'ouvre devant vous.

Chez toi
Ecris une page de ton journal intime.

Bilan

Check that you can …

1	describe what you are wearing:	Je porte un pantalon noir, une chemise blanche, une veste grise et une cravate rayée bleue et grise.

2 say what you like to wear and what you don't like:

Je préfère le look décontracté.

J'aime porter un jean et un sweat quand je suis libre.

Pour le collège, il faut porter l'uniforme.

3 explain what you would like to buy and what size and colour you want:

Je voudrais …

Avez-vous …? (taille/couleur)

4 ask how much something costs and tell someone else the price:

Ça coûte combien?

Ça coûte 150F.

and say what is wrong with it:

Le pantalon est trop long.

Les chaussures coûtent trop cher.

5 give information about a bag that you have lost, its appearance and contents:

J'ai perdu mon sac. Il est grand et bleu. Il a un motif sur le côté. Il y a mon maillot et ma serviette à l'intérieur.

6 say what items of clothing you might need for various activities:

Pour le tennis, on a besoin de tennis blancs, d'un short blanc ou d'une jupe courte blanche et d'un polo blanc.

and describe what someone is wearing in some detail:

Barbara porte un pantalon en coton vert clair et un blouson vert foncé à fermeture éclair avec un motif Naf-Naf …

7 say what is wrong and give someone simple advice:

Je n'ai pas d'amis.
Il faut utiliser un savon déodorant.

On m'a racketté(e).
Il faut parler aux profs.

Petit portrait

Fais un petit portrait de Christelle Deneuve,
oralement ou par écrit, ou les deux!

A deux roues

1 Mon vélo

BICYCLETTE (nom. f.) appareil de locomotion à deux roues.
[Attention à l'orthographe! *bicyclette*]
Vélo (nom m.) mot que l'on emploie souvent à la place de *bicyclette*.
VTT Vélo tout terrain.

1 Ecoute.

  a C'est le vélo de qui?

  b Qui va faire une balade à vélo? Daniel, Maryline, Christelle, Marc, Fleur ou Nadia?

2 **a** Ecoute: Quels vélos préfèrent-ils? (1–5)

super chouette!   fantastique!   bof!   cool!   génial!

  b A deux: Lesquels préférez-vous?
    Classez-les par ordre de préférence.

la selle
la sonnette
la lumière
la sacoche
la pompe
le frein
la vitesse
la chaîne
le pneu

3 a Ecoute: Qu'est-ce qui ne va pas? C'est quelle image?

A   B   C   D   E

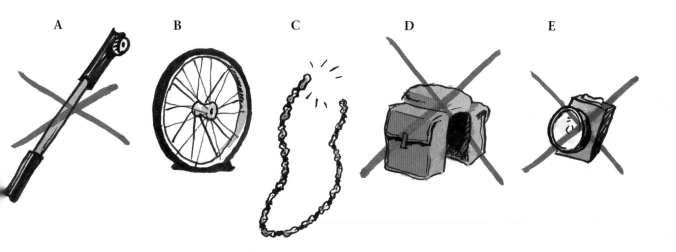

b A deux: Qu'est-ce qui ne va pas?
Reliez les expressions pour faire des phrases.

1 La chaîne est	crevé.
2 Il n'y a pas	de sacoche.
3 J'ai perdu	de lumière.
4 Mon pneu est	ma pompe.
5 Je n'ai pas	cassée.

4 Décris ton vélo ou un vélo imaginaire.

Exemple:

Mon vélo est ...   Il me plaît parce que ...
        a ...   Il ne me plaît pas parce que ...
J'aurais préféré un vélo ...

Chez toi

Choisis un vélo et décris-le.

Le saviez-vous?

Le Tour de France est l'épreuve sportive
la plus suivie. Plus de dix millions de
personnes le suivent. Bernard Hinault a
gagné cinq fois le Tour de France. Celui
qui totalise le meilleur temps depuis le
début du Tour porte le fameux
maillot jaune.

② *Les accessoires*

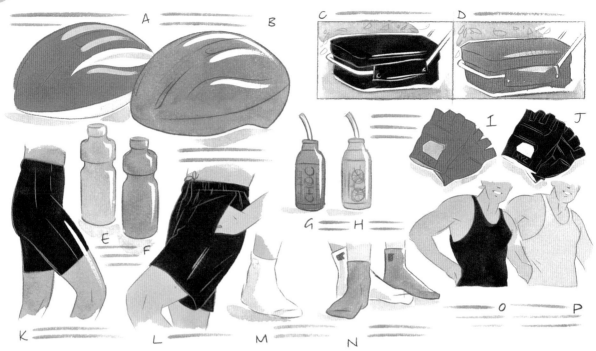

1 Ecoute.

   a Qu'est-ce qu'ils achètent? (1–6)

   b Ça coûte combien?

2 **a** A deux: Qu'est-ce que vous préférez, les gants rouges ou les gants noirs? etc. Pourquoi?

   b A deux: Jeu de rôles
Travaillez ce dialogue.

Qu'est-ce que vous désirez?

Voilà. C'est tout?

Avez-vous ...?

Non. Je regrette, nous n'avons pas de ...

Bon. C'est tout.

Ça fait ...

3 a Ecoute: La pub
Qu'est-ce qu'ils vendent?

b A deux: Choisissez un objet et faites une pub.

4 a Ecoute: Qu'est-ce qu'ils ont acheté?

b Jouez en groupe: Je vais en ville et
j'achète ...

5 Travaillez en groupe: Faites un sondage.
Choisissez un thème, préparez des
questions et écrivez les résultats.

Exemple:
Combien d'élèves dans votre classe ont un vélo?
Combien aiment faire du vélo?
Combien viennent au collège à vélo?

Le saviez-vous? Le Tour de France (suite)

Le Tour de France, créé en 1903, est une compétition de cyclisme. C'est la plus longue, la plus dure et la plus prestigieuse des courses cyclistes du monde.

La course dure trois semaines et fait une boucle de 3000km environ. Il y a des étapes en plaine de plus de 300km, des étapes de montagne et des étapes très courtes (50–60km) 'contre la montre'.

Il y a en moyenne cent trente coureurs, de nationalités différentes, répartis en équipes. Il y a des Français, des Belges, des Italiens, des Espagnols, des Allemands, des Hollandais, des Anglais et même des Colombiens qui sont particulièrement forts en montagne.

une boucle = *loop/circuit*
une étape = *stage*

Chez toi
Choisis un objet et écris ou enregistre une pub!

3 Sur la route

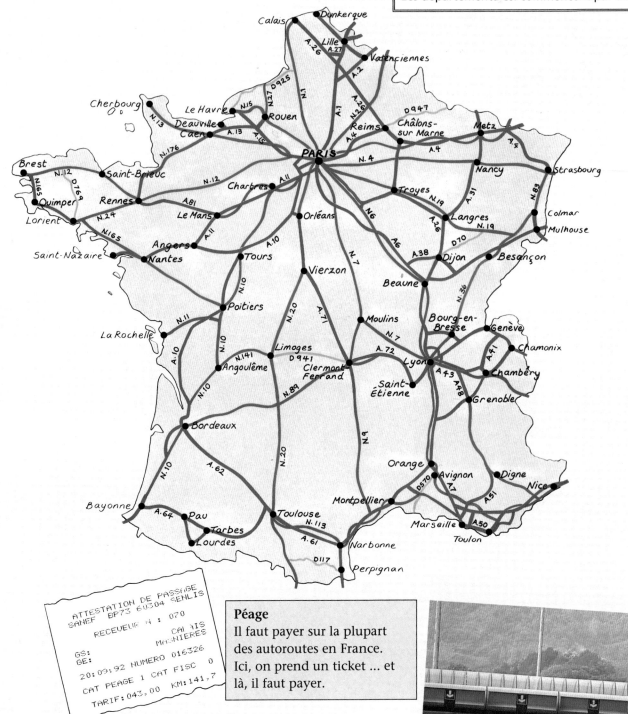

Péage

Il faut payer sur la plupart
des autoroutes en France.
Ici, on prend un ticket ... et
là, il faut payer.

ATTESTATION DE PASSAGE
SANEF BP73 60304 SENLIS
RECEVEUR N : 070
                    CALAIS
GS: MASNIERES
GE:
20:09:92 NUMERO 016326
CAT PEAGE 1 CAT FISC 0
TARIF:043,00 KM:141,7

1 Ecoute: Où vont-ils? (1–6)

2 a A deux: Quelles routes est-ce qu'on va prendre?

On va ...

1 de Calais à Paris   5 de Lille à Strasbourg
2 du Havre à Rouen   6 de Dijon à Toulon
3 du Havre à Paris   7 de Limoges à Nice
4 de Paris à Bordeaux   8 de Reims à Rennes

b A deux: Choisis une destination en France et un itinéraire pour y aller.
Explique-le (ou écris-le) pour un(e) partenaire. Il/Elle doit deviner la destination.

3 Ecoute: Flash infos
Quelles routes sont conseillées?

4 A deux:

a Est-ce que c'est en France ou en Angleterre?

b Comment savez-vous que c'est en France ou en Angleterre?

MINI-TEST 9

Can you ...?

- describe a bicycle
- say what you think of it and why
- ask someone what he/she thinks of it

- say if there is something wrong with it
- ask how much something costs
- say which item you prefer and why
- choose a route and explain it to someone in French

Patrick Swayze
SA FICHE D'IDENTITE

Nom: Swayze

Prénom: Patrick

Né le: 18 août 1952

Lieu de naissance: Houston, Texas

Signe astrologique: Lion

Taille: 1m85

Poids: 78kg

Cheveux: châtains

Yeux: bleus

Famille: Sa mère s'appelle Patsy, son père Jesse Wayne est décédé en 1982. Deux frères Donny et Sean. Deux soeurs Marcia et Bambi. Marié depuis 1975 à l'actrice Lisa Niemi.

Lieu de résidence: San Gabriel, au nord-ouest de Los Angeles.

ADORE
Il adore le sport, la danse, sauter en parachute, John Wayne et les balades en Harley Davidson.

DETESTE
Il déteste le star système et qu'on le reconnaisse dans la rue. Pour préserver son anonymat, il ne se promène plus en ville sans mettre une perruque tressée, un chapeau de cow-boy et sans adopter un 'look hippie'.

'Quand j'en ai marre de la maison et du téléphone qui sonne, quand il y a sur mes épaules trop de pression due au travail, je selle un cheval et je disparais. Je remplis des sqcoches de victuailles pour une semaine, direction la forêt où je dors à la belle étoile et là, je redeviens un homme libre et heureux. '

Un poème

Il a une voiture depuis peu.

Il est en vacances.

Tous les matins

Il vient faire le ménage

De sa voiture.

Il rentre d'abord dedans

Sort le bras gauche

Met la main sur le toit

Et tapote avec trois doigts

En sifflotant.

Il est content ...

Georges Perros

Éditions Gallimard

4 Les moyens de transport

1 a A deux: Combien de moyens de transport connaissez-vous?

b A deux: Comment on va ...?

à Paris	au collège	en ville	aux magasins	au supermarché
à l'hôpital	à la piscine	en Italie	en Amérique	à la gare
à Londres	en Australie	à la plage		

2 Ecoute. (1–6)

a Où est-ce qu'ils vont?

b Comment est-ce qu'ils voyagent?

3 a Ecoute: Les trains pour Paris partent à quelle heure?

b A deux: Jeu de rôles
Travaillez ce dialogue.

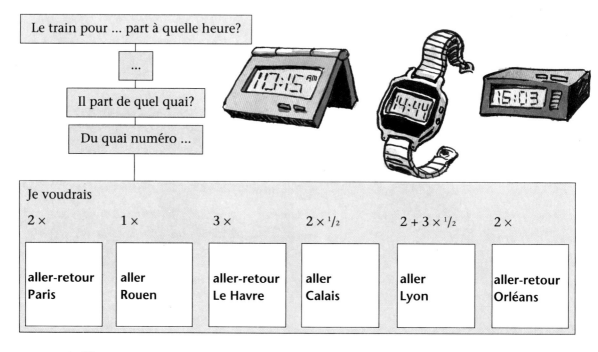

Le train pour ... part à quelle heure?

...

Il part de quel quai?

Du quai numéro ...

Je voudrais

2 ×	1 ×	3 ×	2 × ¹/₂	2 + 3 × ¹/₂	2 ×
aller-retour Paris	**aller Rouen**	**aller-retour Le Havre**	**aller Calais**	**aller Lyon**	**aller-retour Orléans**

4 a Ecoute: Quand est-ce que tu arrives? (1–6)

b A deux: Quand est-ce que vous arrivez?

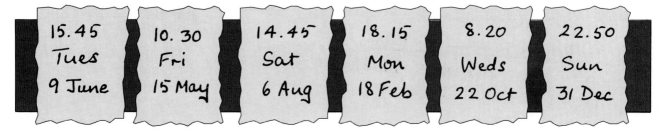

15.45 Tues 9 June	10.30 Fri 15 May	14.45 Sat 6 Aug	18.15 Mon 18 Feb	8.20 Weds 22 Oct	22.50 Sun 31 Dec

5 Moyens de transport pour les marchandises: Explique le graphique.

Exemple: La plupart des marchandises est transportée ...

pourcent

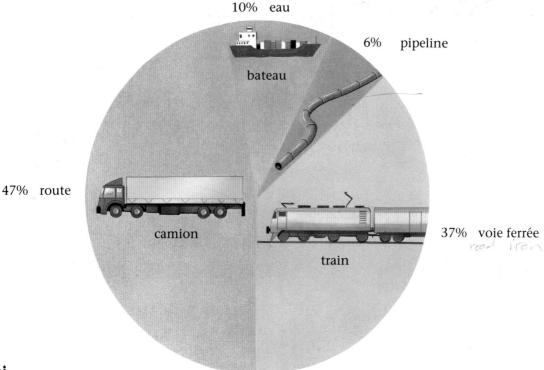

10%   eau — bateau

6%   pipeline

47%   route — camion

37%   voie ferrée
read iron

train

Chez toi

Imagine que ton/ta corres doit venir de Paris te rendre visite.
Explique-lui comment arriver chez vous.

5 Les bulldozers contre les papillons!

1 *Finalement une décision:*
on va construire un périphérique autour de Papillonville!

2 PLUS DE POIDS LOURDS EN CENTRE-VILLE!

3 'Sauvez nos papillons!'

4 LA ROUTE TRAVERSERA LES PRAIRIES ... LES PAPILLONS VONT PERDRE LEUR HABITAT, DES ARBRES SERONT ABATTUS ... ET DES PLANTES SAUVAGES VONT ETRE DÉTRUITES.

5 Les commerçants aux abois:
«Nous allons perdre notre clientèle!»

7 Six mois de pelleteuses et de camions pour construire le périphérique

6 ## Une ville plus sûre pour nos enfants

Moins de pollution en ville, nous allons mieux respirer.

8 LES GENS DU COIN PROTESTENT AFIN DE SAUVER LES PAPILLONS QUI ONT DONNÉ LEUR NOM À NOTRE VILLE!

L'éminent entomologiste M. Bertrand a déclaré que la construction du périphérique entraînera la destruction de la plus grande colonie de papillons tachetés de rose en Europe occidentale.

9 UNE VILLE ISOLÉE!
Les touristes ne vont plus visiter notre ville.

10 Une nouvelle route apportera plus de circulation, selon la police

1 **a** A deux: Pour ou contre le périphérique?

b Ecoute: Pour ou contre?

2 Trouve les différences.

Avant

Après

3 A deux: Qu'est-ce que vous en pensez? Faites une liste des arguments pour et des arguments contre. Etes-vous pour ou contre? Préparez un exposé de votre point de vue.

4 Organisez un débat dans la classe.

Chez toi
Prépare un petit rapport pour ton journal:
«Une nouvelle route pour Papillonville!»

6 J'ai vu un accident

1 **a** Ecoute: L'accident
Que s'est-il passé?
Mets les phrases dans le bon ordre.

A La voiture blanche est partie.
B La moto s'est arrêtée à côté d'elle et signalait son intention de tourner à gauche.
C La personne dans la voiture a vu la moto au dernier moment.
D Heureusement, la fille qui conduisait la moto n'est pas blessée.
E La voiture blanche s'est arrêtée au feu rouge.
F Le feu a changé.
G La voiture noire qui venait de l'autre direction a brûlé le feu rouge.
H Elle a essayé d'éviter un accident et s'est écrasée contre le réverbère.

b A deux: Lisez le texte à haute voix, une phrase chacun à tour de rôle.

2 **a** Que s'est-il passé? Trouve le bon texte (page 113) pour chaque situation.

1   2   3

4   5   6

A Mme Bézu est tombée au millieu de l'avenue Clémenceau, alors qu'elle sortait du supermarché.

B William Grelier, quatre ans, qui courait après son ballon a été renversé par une mobylette hier rue Malherbe.

C Les deux voitures se sont heurtées au carrefour.

D Benjamin, âgé de 8 ans, a été renversé alors qu'il traversait le pont Mathilde.

E Un retraité a perdu le contrôle de son vélo hier soir et a heurté la voiture de M. Badour.

F Le véhicule de M. Norbert a heurté le mur du curé.

b Ecoute: C'est quelle image?

Quelles autres informations est-ce que tu peux noter?

3 Tu as vu cet accident. Raconte aux agents de police ce qui s'est passé et prépare un résumé.

JOUER — COURIR — VENIR — HEURTER — TÉLÉPHONER — EMMENER — CASSER

MINI-TEST 10

Can you ...?

- give information about public transport
- ask about times and prices and buy a ticket
- ask someone when he/she will arrive
- say when you will arrive
- say whether you are for or against something and why
- give a brief account of an accident (real or imaginary)

Récréation

Le nouveau

7 Le week-end

Samedi après-midi, après le collège, on avait l'intention de faire une balade à vélo dans la forêt, mais on n'avait pas assez de vélos et celui de Sandrine avait le pneu crevé. Mais comme nous avions préparé le pique-nique, on est allé chez Martine, qui habite une ferme. On a fait du cheval et on est allé à la pêche. J'ai même attrapé une truite. Elle était trop petite et on a dû la rejeter. Puis on a joué au foot, les filles contre les garçons. C'était rigolo.

Le soir on est allé chez Eric. On a apporté des saucisses et on les a fait griller dans le jardin. Puis on a joué au Pictionary et écouté de la musique. On a même dansé un peu. J'ai dansé avec Paula. Elle est petite et brune avec de grands yeux bruns. Elle est très sympa. Je vais aller la voir quand j'irai en Angleterre. Elle habite tout près de chez Michael.

Dimanche, on avait l'intention de prendre le train et d'aller à Paris avec les autres, car la météo prévoyait de la pluie. Heureusement, on ne s'est pas réveillé à temps et, comme il faisait beau, nous avons fait une balade à vélo dans la forêt. En revenant on a vu Mélissa et Paula qui sortaient le chien. Mélissa nous a invités à dîner avec elles et la journée s'est très bien passée. Heureusement que Michael et Mélissa s'entendent bien aussi!

1 Qu'est-ce que Philippe a fait?

Exemple:
Au lieu d'aller ..., il est allé... et ...
 de faire ..., il a fait ...

116

2 a Qu'est-ce que tu as fait le week-end dernier?
Fais une liste.

	le matin	l'après-midi	le soir
samedi dimanche			

b Qu'est-ce que tu aurais préféré faire ce week-end?

Exemple:
Samedi matin, j'aurais préféré aller en ville.

3 a Ecoute: Qu'est-ce qu'ils vont faire?

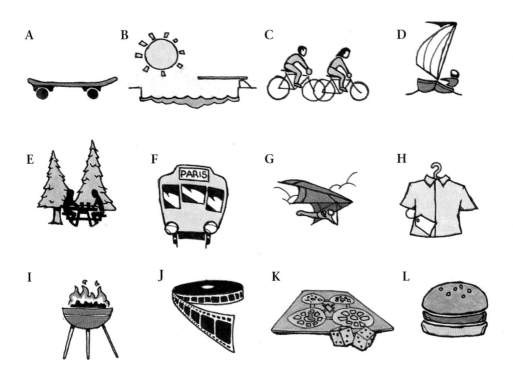

b A deux: Faites-leur une liste d'activités.

	s'il fait beau	s'il pleut
samedi après-midi samedi soir dimanche		

4 a Ecoute: La météo

b A deux: Qu'est-ce qu'ils vont faire?

Chez toi
Ton/Ta corres te rend visite. Prépare un programme pour le week-end.

⑧ *Jeu de société*

On joue au Pictionary

On a un plateau de jeu, un dé, des cartes et un sablier.

Chaque paire ou groupe a un pion, du papier et un crayon.

On jette le dé pour savoir qui va commencer.
Celui qui a le plus de points commence.

Le premier joueur jette le dé, avance le pion sur une case, et prend une carte.
On retourne le sablier.
Il dessine le mot qui correspond à la carte et à la couleur de la case.
Les autres joueurs de son équipe doivent deviner le mot avant que le sable se soit écoulé.

S'ils réussissent, un autre joueur de l'équipe jette le dé, et le jeu continue.

S'ils ne réussissent pas, le tour passe à l'équipe adverse qui tire directement une carte. S'ils réussissent à deviner le mot, ils avancent leur pion sur la même case, jettent le dé, et le jeu continue.

1 C'est quel mot?

Thème:

Carré ou rectangle   Bâtiment   A la campagne   En camping

Un animal   Aider les autres   Les choses étranges   Allô docteur!

En Hollande   Le temps   Dans la maison   Nom collectif

2 Ecoute: Le jeu de Cluedo.
Mets les instructions dans le bon ordre.

1 On bat les cartes par groupe: assassins, lieux, armes.

2 Quand on arrive dans une pièce, on suggère: 'Le meutre a été commis par … dans … avec …'

3 On bat les autres cartes et on les distribue.

4 Si la personne a côté du joueur, dans le sens des aiguilles d'une montre, a une des cartes nommées, elle doit la lui montrer. Si elle en a plusieurs, elle doit lui en montrer seulement une. Si elle n'en a pas, la personne suivante doit lui en montrer une et ainsi de suite, jusqu'à ce qu'on ait montré une carte.

5 On choisit un pion: Mlle Ecarlate, Colonel Moutarde, Dr Olive, etc.

6 Si personne n'a les cartes nommées, le joueur a gagné et on regarde les cartes dans l'enveloppe pour vérifier.

7 A tour de rôle, on jette les dés et on avance.

8 Quelqu'un prend une carte de chaque groupe et les cache dans une enveloppe sans les montrer.

9 Chacun a une liste et coche sur la liste, un secret, les cartes qu'il/elle a.

10 Le tour passe au suivant.

Chez toi
Prépare cinq thèmes et cinq dessins. Ton/Ta partenaire doit deviner: C'est quel mot?

Page de lecture

Le journal intime de Corinne: Samedi

Ce matin, rien de spécial, à part un petit heurt avec mon père au sujet d'un malheureux bol de petit déjeuner mal rangé. Après j'ai pris le car, j'ai discuté avec des copains, ensuite je suis allée en cours (galère!). J'ai gratté comme une dingue en histoire-géo (comme d'habitude). Ensuite, et bien, j'ai repris le bus.

J'ai mangé toute seule devant la télé, après direction salle de bain pour se préparer pour le mariage du fils du voisin.

Je me suis lavé les cheveux, et j'ai sorti l'engin de torture: l'épilateur! J'ai horreur de m'épiler, mais peut-être qu'il vaut mieux passer une demi-heure à s'arracher la peau que de ressembler à une guenon déguisée!

Après ce moment assez douloureux, j'ai mis ma jupe, mon chemisier et mes petites chaussures mais, en me regardant dans la glace, j'ai finalement opté pour mon blue jean et mes bottes!

Ensuite, en route pour le fameux mariage. Je suis allée à l'église (où j'ai dormi presque tout le temps). Heureusement que ma cousine était là pour me réveiller quand il a fallu se mettre debout! Après, on est allé manger au resto et on a dansé. Vers 1h du matin, tout le monde a commencé à partir, alors on en a profité pour mettre les voiles.

le heurt = *dispute*
malheureux =
    unfortunate
galère = *galley
    (what a grind!)*
gratter comme u[n]
    dingue = *to
    scratch like a
    nutcase (to
    scribble like m[a]*

l'épilateur = *hair
    remover*
il vaut mieux = i[t]
    better
une guenon
    déguisée = *a
    disguised monk[ey]*

douloureux =
    painful

mettre les voiles
    *to put up the
    sails (to make [a]
    getaway)*

Le journal intime de Pascal

Aujourd'hui, rien de particulier à signaler. En sciences naturelles, nous continuons à apprendre les chromosomes, les gènes etc. C'est compliqué, mais je comprends quand même. J'ai travaillé toute l'après-midi et je me suis avancé pour toute la semaine.

Ce soir, nous avons été au restaurant pour manger du "canard au calvados", une spécialité de notre belle région de Normandie. C'est très bon.
Nous sommes rentrés vers 23h et je me suis endormi tout de suite.

Jeu d'imagination

Qui sont-ils?
Comment s'appellent-ils?
Quel âge ont-ils?
Où habitent-ils?
Quelle sorte de personnes sont-ils?
Est-ce qu'ils s'entendent bien?
Qu'est-ce qu'ils aiment faire?

Bilan

Check that you can …

1	describe a bicycle:	Le vélo/Il est neuf/bleu/grand.
	say what you think of it and why:	Il me plaît parce que … Il ne me plaît pas parce que …
	and say if there is something wrong with it:	Mon pneu est crevé. Il n'a pas de lumière.
2	understand and describe a route across France:	On va prendre l'autoroute A1 et puis la RN137.
3	ask how much something costs:	Ça coûte combien?
	and say which you prefer:	Je préfère le bleu/le plus grand.
4	understand and record a short advert:	Mangez …! Buvez …! Portez …! Achetez …!
5	ask for information about public transport:	Le train part à quelle heure et de quel quai?
	ask for a ticket:	Je voudrais un aller-retour …
	and say when you are due to arrive:	J'arrive jeudi 10 juin à dix-huit heures vingt.
6	give a simple report on an accident:	J'ai vu un accident … La voiture de M. Gilbert a heurté un mur/s'est écrasée contre la voiture de M. Benoît.
7	say what you intend to do next week-end:	On va faire …
	and what you did last week-end:	J'ai fait …
	and play a board game!	

Petite histoire

Invente une petite histoire sur Delphine et Eric,
oralement ou par écrit, ou les deux!

Eric

Delphine

A vos plumes!

① On va faire un journal

A PEINE ARRIVÉ SUR LA CROISETTE IL FAUT QUE TU TE FASSES REMARQUER

CABOTIN!

AUJOURD'HUI
4Gème
FESTIVAL de CANNES

B

COTÉ CUISINE

Chou-fleur à l'orientale

Couper le chou-fleur en bouquets et les laver. Mettre dans une casserole la moi- tié d'une bouteille de vin blanc, une même quantité d'eau, le jus de deux citrons un autre citron coupé en tranches, un verre de sauce tomate bien assaisonné un verre d'huile d'olive, un bouquet garni, une cuillerée à soupe de graines de coriandre, sel et quelques grains de poivre, amener à ébullition. Mettre les b quets de chou-fleur, en ajoutant si c'est nécessaire de l'eau chaude afin qu soient bien recouverts. Laisser bouillir vingt minutes. Egoutter le chou-fleur disposer dans un récipient. Faire réduire de moitié le jus de cuisson, passe chinois et verser sur le chou-fleur, parsemer de quelques fines herbes et la refroidir.

C

Algérie : la vague islamiste
Une nouvelle attaque contre une caserne repose la question de l'infiltration des terroristes dans l'armée.

D

INFO-SERVICE

Interdiction de circulation

Les travaux entrepris par le service municipal de voiri pour la réalisation de ralentisseurs nécessitent l'inter- diction de toute circulation, sauf celle des piétons, rue Claudius-Gondy, au droit des travaux, à compter du 10 mai jusqu'à la fin des travaux (durée prévue : 2 semai- nes).

Pendant cette interruption de circulation, les dévia- tions se feront comme suit : rue du Caporal-Peugeot et rue Jules-Viette.

E

---

[30] **1** **a** A deux: Trouvez un exemple pour chaque catégorie:

1 Les infos: les actualités nationales et internationales; les actualités régionales; les faits divers; la météo; la circulation; l'état des routes; etc.

2 Les reportages ou articles sur: les sciences; l'environnement; l'informatique; les animaux; l'éducation; la musique; le cinéma; la cuisine; le sport; etc.

3 Les histoires, les B.D., les blagues

4 Les jeux et les énigmes; l'horoscope; le programme de la télé

5 Les conseils sur la santé, la protection de l'environnement, l'entretien de son vélo, etc.

6 les petites annonces et la pub

b A deux: Choisissez un magazine ou un journal (français ou anglais). Trouvez un exemple pour chaque catégorie.

Exemple:
'Liverpool win 2-1 at Kop': c'est un article sur le sport, catégorie 2.

Championnat de canoë-kayak : la bonne humeur

F

Un traitement plus sûr de la dépression

Salon de la médecine au quotidien, le MEDEC a ouvert ses portes hier à Paris. Sa première interrogation : comment soigner la déprime.

H

Perdu et trouvé

FM 086297 0111
Perdu à Lougres petit CHIEN BLANC tache brune, poils ras. Téléphone 81.97.52.

G

Les championnats de Franche-Comté descente en canoë-kayak de ce week-end présentaient un profil presque idéal pour une belle empoignade en surface sur fond de bonne humeur.
Les passages les plus difficiles, celui du Theusseret notamment, de niveau 3 sur une échelle en comportant 5, furent négociés royalement. La

FAITS DIVERS

Perte de contrôle : un blessé

Jeudi, vers 9 h 30, un automobiliste circulant en direction de Maîche, entre Le Luhier et Bonnétage.
Seul à bord, M. Jean-Pierre Raoux, 35 ans, chef de secteur à la SHR, demeurant à Saône, blessé, a été transporté au CHR de Besançon par les sapeurs-pompiers du Russey.

L

J

Demandes d'emplois

Fb 079633 0136
Jeune Homme 25 ans FORMATION CUISINIER cherche emploi. Etudie toutes propositions. Disponible de suite. Téléphone 84.65.53

Fb 079906 0099
Urgent deux messieurs cherchent EMPLOIS RESPONSABILITES dans les Alpages ou accepteraient tous autres travaux, logement souhaité, pas sérieux s'abstenir. Téléphone 84.56.44.
FM 079933 0103

K

VERSEAU (21/01 - 18/02)
Professionnel : Un besoin de vous informer, de communiquer, de raconter, c'est ce qu'indiquent les astres. Que faut-il en conclure ? Que vous ne serez pas très productif ? Si votre activité consiste à communiquer sans aucun doute vous serez performant.
Affectif : Une grand passion, c'est à quoi vous aspirez.
Forme : Bonne.

POISSONS (19/02 - 20/03)
Professionnel : Il est temps d'agir. Vous n'avez pas un tempérament à supporter les sous-entendus et les insinuations.
Affectif : Allez, décidez-vous à pardonner, ne soyez pas si féroce et puis il faudra bien que cela s'arrange.
Forme : Assez bonne.

MUSÉES
Musée des beaux-arts et d'archéologie : de 9 h 30 à 12 h et de 14 h à 18 h.
`Musée de la Résistance, musée comtois, musée d'histoire naturelle : de 9 h 45 à 16 h 45.

CINÉMA
« Barton Fink », Film de Joël et Ethan Coen. Palme d'or Cannes 1991.
Film moite, étouffant, claustrophobe, « Barton Fink » traite principalement, au-delà de la comédie satirique, de l'impuissance et de l'égoïse des hommes d'écriture.
FJT « Les Oiseaux », 48, rue des Cras, à 20 h 30. Entrée libre et gratuite.

I

N

M MÉTÉO FRANCE

DEMAIN
Temps gris et pluvieux en début de journée puis le temps s'améliorera dans l'après-midi par l'ouest avec le développement de quelques éclaircies.
Les températures matinales seront en hausse avec 3 à 6 degrés, les maximales seront voisines de 15 degrés.

Le franc en forme

La devise française se redresse face au mark, relançant tous les espoirs de baisse rapide du prix du crédit dont aurait besoin une reprise.

2 Ecoute.

a Qu'est ce qu'ils vont faire?

b De quoi ont-ils besoin?

3 A deux: Préparez votre matériel.
Ecrivez une liste de ce dont vous avez besoin.

Exemple:
Lundi prochain, on a besoin d'un(e)...

un magnéto   un micro   une cassette
des piles   un crayon   un stylo-bille
une disquette   un carnet
une liste de questions   des enveloppes
des timbres   un sac   un appareil photo
des pellicules   un atlas   un dictionnaire
des magazines   des livres de référence

Lundi: Interview du directeur du collège
Mardi: Sondage dans la cour, à la récré, sur les cigarettes
Mercredi: Reportage sur les déchets dans la ville
Vendredi: B.D., mots croisés, petites annonces
Week-end: Interview des grands-parents

Chez toi
Prépare un jeu pour ton journal.

Exemples:
Cherche l'intrus   Mots croisés
Le jeu des cinq erreurs   Mots codés
Mots cachés

② *Au travail*

1 A deux: Lisez la maquette et la B.D. ...

nom du journal

page 1

titre
de une

illustration
de une

article de une

breves

sujet le plus
important

titre
de la page

article

invente
un
petit
jeu

remplis
"l'ours":
l'endroit
où on écri
qui fait
quoi.

sujet asses important

invente
une petite
B.D.

la une = *page one*

Qu'est-ce qu'on
va mettre ici ?

page 2

Page 3

Qui va écrire l'article
de une ?

page 1

Moi. Je vais
chercher des infos
dans le journal.

Les nouvelles
brèves, le
cinéma, la
télé. Tu peux
regarder sur
le calendrier. Il
y a une fête au village
le mois prochain.

... et décidez ce que vous allez mettre dans votre journal.

2 Travaillez en groupe:
Faites une maquette de votre journal de classe ou de groupe.

Chez toi
Fais une maquette de ton journal personnel.

3 Qu'est-ce que c'est, l'ordinateur?

1 Quelle partie de l'ordinateur ...?

1 contient la mémoire centrale
2 imprime sur papier
3 contient la disquette
4 ressemble à un clavier de machine à écrire
5 montre les informations sur l'écran
6 permet de se déplacer sur l'écran

la puce = *chip*
un logiciel = *(a piece of) software*

l'unité de contrôle
le clavier
l'écran ou moniteur vidéo (monochrome ou couleur)
le lecteur
la souris
l'imprimante

2 **a** Ecoute: les infos

b Ecris un reportage.

Conseils:

1 La première fois, écris au brouillon ou sur l'ordinateur.

2 Ecris au présent ou au passé composé.

3 Fais des phrases courtes: sujet, verbe, complément.

4 Choisis le titre ensuite. Le titre doit être très court et résumer ce qu'il y a dans l'article.

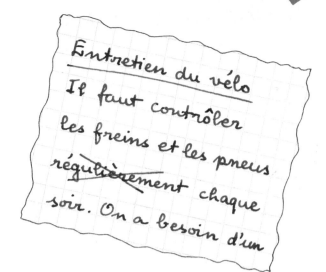

Entretien du vélo
Il faut contrôler les freins et les pneus ~~régulièrement~~ chaque soir. On a besoin d'un

Au secours!

Je ne comprends pas!	Qui a le vocabulaire?
Qu'est-ce que je dois faire?	Qui a un/une ...?
Est-ce que je peux ...?	Comment dit-on ... en français?
Je n'ai pas de ...	Comment ça s'écrit?

Mots-clés pour le travail à l'ordinateur

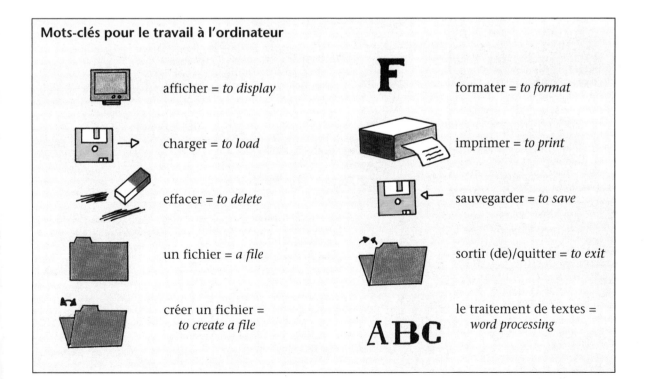

afficher = *to display*

charger = *to load*

effacer = *to delete*

un fichier = *a file*

créer un fichier = *to create a file*

formater = *to format*

imprimer = *to print*

sauvegarder = *to save*

sortir (de)/quitter = *to exit*

le traitement de textes = *word processing*

Chez toi

Cherche des infos dans les journaux ou à la télé et prépare un article au brouillon.

Récréation

Le jean

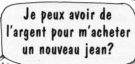

Pourquoi on nous a amenées ici?

JE VEUX UN JEAN Levi's

Je peux avoir de l'argent pour m'acheter un nouveau jean?

Oui. Combien?

Il coûte 400F.

Ah non, ça alors! Quatre cents francs pour un jean! C'est pas vrai! Tu peux t'en acheter un pour 150F.

Est-ce que je peux avoir de l'argent pour acheter un jean?

Oui. Combien?

500F.

Non, ça alors, c'est trop. Voilà 200F. Ça suffit largement pour un jean.

Levi's

Oui, il est vraiment chouette. Je vais l'essayer. Entrons!

Fantastique! Regarde. Comment il me va?

Super!

Vous ne le prenez pas?

Non. Il ne me plaît pas.

Ce jean, il était vraiment super cool. Il me le faut.

Qu'est-ce que tu fais dimanche prochain?

Rien.

Bon. Tu peux m'aider?

Oui. Qu'est-ce qu'il faut faire?

Le journal de la classe

1 Pour le journal de la classe il faut choisir ...   A une équipe de rédaction qui comprend:

1 les journalistes qui font les enquêtes et les interviews et écrivent les articles et les reportages;

2 un illustrateur qui s'occupe de choisir ou de créer les dessins et les photos;

3 un rédacteur de l'information, qui choisit quelles infos on va mettre dans le journal. (Il est responsable de l'orthographe. Il relit les textes et corrige les fautes);

4 un rédacteur pour chaque section, qui choisit quels reportages on va mettre sur sa page. (Il est responsable de l'orthographe. Il relit les textes et corrige les fautes);

5 un maquettiste qui décide comment on place les articles et les images dans le journal;

6 un responsable pour la pub et les petites annonces;

7 un rédacteur en chef, qui préside aux réunions et décide de ce qu'on va mettre dans le journal.

B le matériel pour la publication:

Ordinateur et logiciel?

Comment est-ce qu'on va faire les copies?

C une date de publication et les dates limites pour les articles et les reportages.

2 Ecoute.

Daniel

Magali

Ariane

Jules

Agnès

Sandra

Michel

Paul

Stéphane

a Qui va faire quoi?

b Comment est-ce qu'ils vont faire la publication?

c Ils ont choisi quelle date?

Chez toi

Raconte l'histoire de la B.D. page 130.

Continue l'histoire.

Une élève vole des vêtements pour s'acheter un jean!

Magali Remblier voulait un jean comme celui de son amie Luisa Haguenauer. Le jean coûtait 500 francs. Magali a demandé de l'argent à ses parents qui ont dit: 'Non'. Ils ont trouvé que le jean était trop cher.

⑤ *On fait une interview*

TV STAR
Hélène Rolles

Nom: Rolles
Prénom: Hélène
Née le: 20 décembre 1966 au Mans (Sarthe)
Fille de: Marc (électronicien) et de Mireille. Deux soeurs: Sophie et Virginie.
Taille: 1,65 m
Poids: 45 kg
Yeux: noisette
Cheveux: blonds
Elle adore: la nature, la pêche, le bricolage et les animaux (à la campagne, elle possède une veritable ménagerie).
Elle déteste: le racisme, les pollueurs et les maltraiteurs d'animaux.

Comédien préféré: Robert De Niro.
Comédienne: B.B. qu'elle place au-dessus de tout.
Chanteur: Serge Gainsbourg
Chanteuse: Brigitte Bardot
Son enfance: Ballottée dans sa Sarthe natale par un papa fort remuant dont la passion est de restaurer les maisons anciennes ...
Son adolescence: Sans histoires ou presque ... Une vie paisible ponctuée par de nombreux déménagements, l'amour de la nature et l'obtention de son bac. Puis, la fac de droit jusqu'au piano blanc de ses premiers essais de chanteuse ...
Ses disques: «Dans ses grands yeux verts» (87); «Sarah» (89); «Pour l'amour d'un garçon» (92); «Hélène» (92)
Ses films: «Le mouton noir» (79)
Ses rêves: Retrouver un beau rôle (costumé de préférence) au cinéma, et avoir plein d'enfants.

Faire une interview
Préparez des questions pour poser à quelqu'un et notez les réponses sur un carnet ou enregistrez-les au magnétophone. Prenez des photos pour rendre vos reportages plus intéressants.

1 **a** Complète les huit questions que l'interviewer a posées à Hélène.

Comment ...?

C'est quand ...?

> Tutoyer ou vouvouyer?

Est-ce que vous avez ...?

Qui est votre ...?

...

b Tu vas interviewer un(e) partenaire et un(e) adulte. Prépare les questions pour remplir cette fiche.

Nom ....

Age ....

Domicile ....

Famille ....

Loisirs ....

Chanteur préféré ....

Chanteuse préférée ....

Emission préférée ....

Animal préféré ....

Boisson préférée ....

Passion ....

c Ecoute l'interview et écris un reportage sur Jonny Lebeau.

2 A deux: Jeu d'imagination
Prépare un reportage oralement ou par écrit.

- C'est qui?
  Donne-lui un nom.
- Il a quel âge?
- Où habite-t-il?
- Il fait quelle sorte de musique?
- Qu'est-ce qu'il aime, et qu'est-ce qu'il n'aime pas?
- Quelle est sa voiture préférée?
- Quel est son animal préféré?
- Quel est son sport préféré?
- Est-ce qu'il a une passion? etc.

Chez toi

Qui est-ce?

Prépare un reportage oralement ou par écrit.

Je recherche ...

A

Je recherche, pour ma collection, des photos, des posters et de la documentation sur Michael Jackson. Merci d'avance.
Christelle 79.62.21

B

Si vous avez de la documentation sur David Bowie, je vous offre en contrepartie des pin's.
Isabelle 88.29.76

C

Je suis un mega-fan des N.K.O.T.B. et vous seriez super sympa de m'offrir des photos, ou des posters. J'échange des posters et des photos de Double You.
Ahmed 21.55.24

D

Je recherche des photos, des posters et des documents sur Madonna. J'échange des documents sur Johnny Hallyday ou des pin's.
Noël 80.02.74

E

Je collectionne les cartes postales. Je recherche des correspondants de mon âge, 15 ans. Faites que ma boîte aux lettres déborde. Je réponds à tout le monde.
Sylvie 21.05.66

F

J'ai une trentaine de posters en très bon état dont je ne sais pas quoi faire. Au lieu de les jeter je les envoie à qui m'écrit le premier.
Christian 29.76.42

G

Si vous avez des pin's et si vous voulez vous en débarrasser ou si vous les vendez à des prix très raisonnables, écrivez-moi!
Simon 49.57.33

H

Je prends tout sur le cinéma et les acteurs (photos, articles, affiches etc). Je réponds à toute proposition. Ne jetez plus rien!
Myriam 80.62.96

I

J'ai quatorze ans et j'aimerais correspondre avec des garçons et des filles de mon âge. J'adore m'éclater sur la musique Reggae et 'Fun Radio'. Si tu es comme moi, écris-moi et envoie une photo.
Lydia 29.45.61

éclater = *to burst/to have fun*

J

J'ai 15 ans et je veux correspondre avec des jeunes de 14-16 ans aimant tout comme moi, le foot, le cyclisme, le cinéma, la plage et les animaux.
Didier 11.29.63

K

Je cherche un corres de mon âge, 15 ans, qui aime les ordinateurs et qui veut correspondre par E-Mail.
Patrice 22.05.97

L

Qui veut m'écrire? Je suis Scorpion, jeune et beau (15 ans) aux yeux bruns et cheveux blonds. Je suis fana de surf des neiges et du rap positif de Me Phi Me. Si tu est comme moi, écris-moi vite et envoie une photo.
Jean-Claude 83.19.25

1 **a** Qui est-ce qui ...?

1 a des posters à donner

2 s'intéresse à un chanteur américain

3 est amateur de cinéma

4 collectionne les pin's

5 est fana d'ordinateur

6 est vaniteux

7 attend que le facteur lui apporte des cartes postales.

8 est fan de David Bowie

9 aime New Kids on the Block

10 s'intéresse à une chanteuse américaine

11 cherche un corres rigolo

12 est très sportif

b Ecoute: Ils vont écrire à qui? (1–10)

2 A deux: Ecrivez et enregistrez cinq petites annonces.

Chez toi
Choisis une petite annonce et écris une réponse.

Récréation

Mastermind

 1 Quel océan est le plus grand?
L'océan **a** Pacifique
        b Atlantique
        c Arctique

 2 Qui a construit le premier téléscope?
  a Galilée
  b Isaac Newton
  c Herr Teleskop

 3 Qui chantait avec les Shadows?
  a Olivia Newton John
  b Cliff Richard
  c Elton John

 4 Quel est le nom actuel d'Uluru, montagne de pierre au coeur de l'Australie?
  a Great Barrier Reef
  b Ayers Rock
  c Mount Koskiusko

 5 Qu'est-ce qu'un daiquiri?
Un cocktail **a** à base de rhum
          b à base de whisky
          c à base de vodka

 6 Quel est le plus haut volcan d'Europe?
  a L'Etna
  b Fuji
  c Le Vésuve

 7 Quelle est la ville sainte de l'Islam?
  a Riyadh
  b Jérusalem
  c La Mecque

 8 Quel a été le premier satellite artificiel en orbite autour de la terre?
  a Spoutnik 1
  b Lunik 1
  c Challenger 1

 9 Quelle est la durée d'une mi-temps au football?
  a 40 minutes
  b 45 minutes
  c 35 minutes

 10 De quelle île Funchal est-elle la capitale?
  a Mallorca
  b Tenerife
  c Madère

 11 Comment écrit-on 2000 en chiffres romains?
  a DD
  b CC
  c MM

 12 Dans quelle partie du corps se trouve la rotule?
  a l'oreille
  b la main
  c le genou

 13 Quelle est la couleur de l'écurie Ferrari?
  a rouge
  b bleu
  c noir

 14 Où est le Centre Pompidou?
  a à Pompei
  b à Paris
  c à Lyon

a

The National Gallery, London

15 Le saviez-vous?

L'invention du tube de peinture a permis aux artistes de sortir et de travailler dans la rue ou à la campagne, dans les champs et au bord de la mer. Mais il y avait une couleur qui manquait. Les impressionnistes ne voulaient pas s'en servir, parce que selon eux ce n'était pas une couleur naturelle. C'était quelle couleur?

16 Qui est l'artiste?

b

Claude Monet (1840–1926) 'pape' de l'impressionnisme est le peintre impressionniste qui était fasciné par les effets de la lumière. Il a souvent peint le même sujet plusieurs fois à des saisons et des heures différentes. Il a peint la cathédrale de Rouen vingt fois.

Le peintre hollandais **Vincent Van Gogh** (1853–90) a habité en France et a été influencé par les impressionnistes. Les plus célèbres de ses oeuvres, comme les 'Tournesols' ont été peintes en France. Aujourd'hui, ses oeuvres sont vendues des millions de francs, mais pendant sa vie il n'a vendu qu'une seule toile!

Tate Gallery, London

Edgar Degas (1834–1917) est bien connu pour ses peintures et ses sculptures de danseuses. 'La petite danseuse' est en bronze et on peut la voir au Musée d'Orsay à Paris. Contrairement à ses amis impressionistes, Dégas installait rarement son chevalet en plein air. Les sujets favoris de cet artiste noctambule étaient les scènes de théâtre et de music-hall.

c

National Museum of Wales, Cardiff

Solutions

1 (a)	2 (b)	3 (b)	4 (b)
5 (a)	6 (c)	7 (c)	8 (a)
9 (b)	10 (c)	11 (c)	12 (c)
13 (a)	14 (b)	15 le noir	
16 (a) van Gogh (b) Degas (c) Monet			

⑦ Pour mieux connaître la France

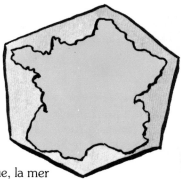

La France – un hexagone

Il y a
3 frontières maritimes: la Manche, l'Atlantique, la mer
Méditerranée
6 frontières terrestres: avec La Belgique, le Luxembourg,
L'Allemagne, la Suisse, l'Italie, l'Espagne

Bordeaux	Strasbourg
Chamonix	Toulouse
Dijon	la Dordogne
Grenoble	la Garonne
Lille	la Loire
Lyon	le Rhône
Marseille	la Seine
Nancy	les Alpes
Nantes	le Jura
Nice	le Massif Central
Paris	les Pyrénées
Rennes	les Vosges
Rouen	

N

M

L

e

K

d

c

J

i

Superficie:	544 000 kilomètres carrés
Population:	57 millions d'habitants
Paris, la capitale:	9 000 000 habitants avec l'agglomération

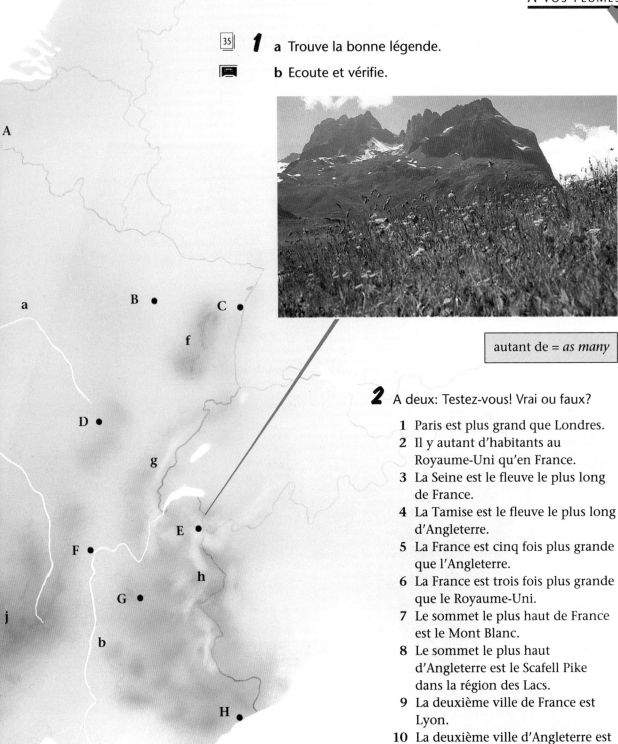

35 **1** **a** Trouve la bonne légende.

b Ecoute et vérifie.

autant de = *as many*

2 A deux: Testez-vous! Vrai ou faux?

1 Paris est plus grand que Londres.
2 Il y autant d'habitants au Royaume-Uni qu'en France.
3 La Seine est le fleuve le plus long de France.
4 La Tamise est le fleuve le plus long d'Angleterre.
5 La France est cinq fois plus grande que l'Angleterre.
6 La France est trois fois plus grande que le Royaume-Uni.
7 Le sommet le plus haut de France est le Mont Blanc.
8 Le sommet le plus haut d'Angleterre est le Scafell Pike dans la région des Lacs.
9 La deuxième ville de France est Lyon.
10 La deuxième ville d'Angleterre est Birmingham.

Chez toi

L'Hexagone! Prépare pour ton journal:

a un Mot caché
b un Cherchez l'intrus ou
c un Jeu-test

8 La conquête de l'espace

1 **a** Mets les événements dans l'ordre chronologique.

b Ecoute et vérifie.

c C'était à quelle date?

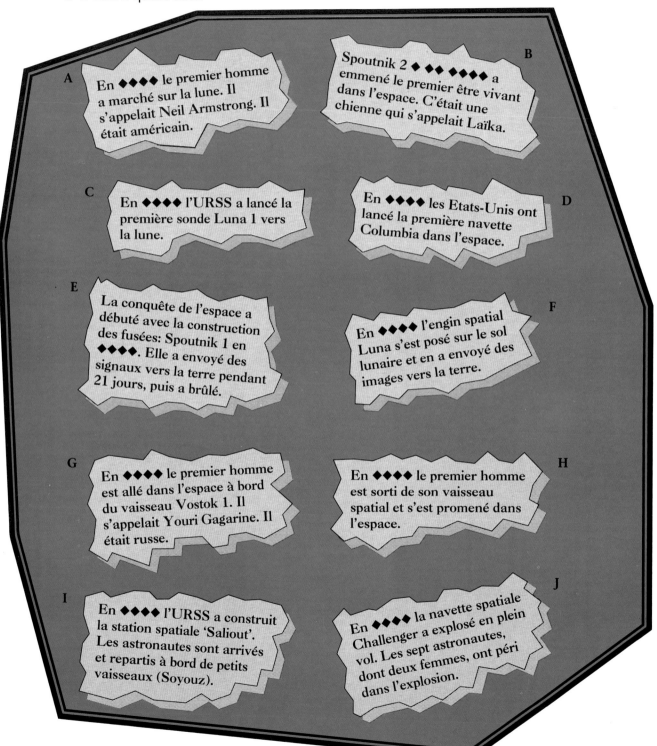

A En ◆◆◆◆ le premier homme a marché sur la lune. Il s'appelait Neil Armstrong. Il était américain.

B Spoutnik 2 ◆ ◆◆ ◆◆◆ a emmené le premier être vivant dans l'espace. C'était une chienne qui s'appelait Laïka.

C En ◆◆◆◆ l'URSS a lancé la première sonde Luna 1 vers la lune.

D En ◆◆◆◆ les Etats-Unis ont lancé la première navette Columbia dans l'espace.

E La conquête de l'espace a débuté avec la construction des fusées: Spoutnik 1 en ◆◆◆◆. Elle a envoyé des signaux vers la terre pendant 21 jours, puis a brûlé.

F En ◆◆◆◆ l'engin spatial Luna s'est posé sur le sol lunaire et en a envoyé des images vers la terre.

G En ◆◆◆◆ le premier homme est allé dans l'espace à bord du vaisseau Vostok 1. Il s'appelait Youri Gagarine. Il était russe.

H En ◆◆◆◆ le premier homme est sorti de son vaisseau spatial et s'est promené dans l'espace.

I En ◆◆◆◆ l'URSS a construit la station spatiale 'Saliout'. Les astronautes sont arrivés et repartis à bord de petits vaisseaux (Soyouz).

J En ◆◆◆◆ la navette spatiale Challenger a explosé en plein vol. Les sept astronautes, dont deux femmes, ont péri dans l'explosion.

Le saviez-vous?

La navette spatiale est un avion-fusée. Elle décolle comme une fusée et atterrit comme un avion. Elle lance et récupère des satellites et peut emmener des passagers. Le principal avantage de la navette est qu'elle est réutilisable.

Les satellites artificiels sont des objets lancés dans l'espace et qui tournent autour de la terre.

La lune est située à une distance de 380 000 km de la terre.

La terre tourne à la vitesse fantastique de 107 136 km/h, c'est-à-dire près de 31 km à la seconde.

2 Trouve les mots. C'est ...

astéroïde	**1** notre planète. C'est le monde où nous vivons.
astronaute	**2** l'astre qui envoie la lumière et la chaleur sur la terre.
astrologie	**3** un astre qui tourne autour du soleil.
astronomie	**4** un astre qui tourne autour d'une planète.
lune	**5** un petit corps céleste.
météore	**6** un instrument optique pour regarder les astres.
météorite	**7** quelqu'un qui voyage dans l'espace.
météorologie	**8** un corps céleste lumineux qui passe dans le ciel.
planète	**9** un fragment minéral qui tombe sur la terre.
soleil	**10** la science des astres.
téléscope	**11** l'étude du temps.
terre	**12** l'art de prévoir le destin par l'observation des astres.

Chez toi

Fais des recherches. Il y a neuf planètes dans notre système solaire: comment s'appellent-elles?

a Complète leurs noms.

b Mets-les dans l'ordre de la distance du soleil.

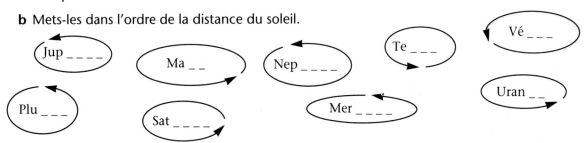

Jup _ _ _ _   Ma _ _   Nep _ _ _ _   Te _ _ _   Vé _ _ _

Plu _ _ _   Sat _ _ _ _   Mer _ _ _ _   Uran _ _

⑨ *Je bouquine*
Le Petit Prince

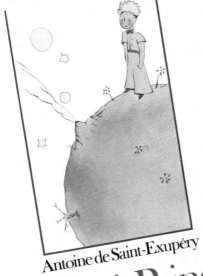

Antoine de Saint-Exupéry

Le Petit Prince

Editions Gallimard

folio junior

– S'il vous plaît... dessine-moi un mouton !

– Hein !

– Dessine-moi un mouton...

J'ai sauté sur mes pieds comme si j'avais été frappé par la foudre. J'ai bien frotté mes yeux. J'ai bien regardé. Et j'ai vu un petit bonhomme tout à fait extraordinaire qui me considérait gravement. Voilà le meilleur portrait que, plus tard, j'ai réussi à faire de lui. Mais mon dessin, bien sûr, est beaucoup moins ravissant que le modèle.

Il n'avait en rien l'apparence d'un enfant perdu au milieu du désert, à mille milles de toute région habitée. Quand je réussis enfin à parler, je lui dis :

– Mais... qu'est-ce que tu fais là?

Et il me répéta alors, tout doucement, comme une chose très sérieuse :

– S'il vous plaît... dessine-moi un mouton... Alors j'ai dessiné.

Il regarda attentivement, puis :

– Non ! Celui-là est déjà très malade. Fais-en un autre.

Je dessinai :

Mon ami sourit gentiment, avec indulgence :

– Tu vois bien... ce n'est pas un mouton, c'est un bélier. Il a des cornes...

Je refis donc encore mon dessin :

Mais il fut refusé, comme les précédents :

– Celui-là est trop vieux. Je veux un mouton qui vive longtemps.

Alors, faute de patience, comme j'avais hâte de commencer le démontage de mon moteur, je griffonnai ce dessin-ci.

Et je lançai :

– Ça c'est la caisse. Le mouton que tu veux est dedans.

Mais je fus bien surpris de voir s'illuminer le visage de mon jeune juge :

– C'est tout à fait comme ça que je le voulais ! Crois-tu qu'il faille beaucoup d'herbe à ce mouton ?

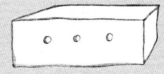

– Pourquoi ?

– Parce que chez moi c'est tout petit...

– Ça suffira sûrement. Je t'ai donné un tout petit mouton.

Il pencha la tête vers le dessin :

– Pas si petit que ça... Tiens ! Il s'est endormi...

Et c'est ainsi que je fis la connaissance du petit prince.

Grammaire

1 Le nom *The noun*

1.1 A noun is a naming word. If you can use 'the', 'a', or 'my' in front of a word, it is a noun. For example: the house; a brother; my hat.

1.2 Remember gender! In French, all nouns are either masculine or feminine (*masculin* ou *féminin*) and you have to remember to use the right forms of other words with them:

	masculin (m)	*féminin (f)*	*pluriel (pl)*
a	un	une	
the	le/l'*	la/l'*	les
to the	au/à l'*	à la/à l'*	aux
some/of the	du/de l'*	de la/de l'*	des
my	mon	ma/mon*	mes
your (tu form)	ton	ta/ton*	tes
his/her	son	sa/son*	ses
our	notre	notre	nos
your (vous form)	votre	votre	vos
their	leur	leur	leurs
this/these	ce/cet*	cette	ces

*Used before nouns beginning with a vowel or **h**.

1.3 Making the plural
Most nouns make the plural by adding **-s**:

une maison – deux maisons; un chat – plusieurs chats

but some words which end in **-eau** and **-eu** add **-x**:

un gâteau – deux gâteaux; un jeu – plusieurs jeux

and some words which end in **-al** change to **-aux**:

un journal – cinq journaux; un animal – plusieurs animaux

but words which already end in -s, -x or -z do not change at all:

un petit pois – des petits pois; une choix – plusieurs choix; un nez – des nez

1.4 Using the right pronoun
As the nouns are either masculine or feminine, they must be referred to as 'he' (**il**) or 'she' (**elle**).

J'ai perdu mon livre. Le voilà, **il** est sur la table.

T'as vu ma règle? **Elle** est dans ta trousse.

2 Les adjectifs *Adjectives*

2.1 Adjectives are describing words and are used to describe a noun: a **new** bike; my **old** anorak; his **smart**, **red** watch.

2.2 Adjective agreement

	m sing	f sing	m pl	f pl
Basic patterns				
green	vert	verte	verts	vertes
red	rouge	rouge	rouges	rouges
Irregular patterns				
all	tout	toute	tous	toutes
old	vieux/vieil	vieille	vieux	vieilles
beautiful	beau/bel	belle	beaux	belles
new	nouveau/nouvel	nouvelle	nouveaux	nouvelles
dry	sec	sèche	secs	sèches
fat	gros	grosse	gros	grosses
white	blanc	blanche	blancs	blanches

2.3 Position

In English, adjectives always come in front of the word they are describing. In French, some common ones (e.g. **grand/petit/beau/meilleur/jeune/vieux**) are used in front, but many are used after:

J'ai un grand chien noir et un petit chat blanc.
J'ai mis mon meilleur pantalon bleu.
Il a les yeux bleus et les cheveux blonds, courts, frisés.

2.4 Comparative: **plus** – more; **moins** – less
If you are comparing two things:

Le pantalon bleu coûte plus cher que le pantalon à carreaux.
Le Mont Blanc est moins haut que le Mont Everest.

2.5 Superlative: **le plus** – the most; **le moins** – the least

L'Océan Pacifique est l'océan le plus grand du monde.
La plus grande île du monde est le Groënland.

3 Les verbes *Verbs*

3.1 Le présent
The present tense is used
(**a**) when an action is taking place now:

Je vais en ville.
I am going to town.

(**b**) when an action takes place regularly:

Il fait ses devoirs chaque jour.
He does his homework every day.

There are three main categories of verbs, grouped according to whether they end in **-er**, **-re** or **-ir**. Their present tense patterns are:

	-er donner (to give)	**-re** répondre (to reply)	**-ir** finir (to finish)
Singular			
1st person (I) je	donne	réponds	finis
2nd person (you) tu	donnes	réponds	finis
3rd person (he/she) il/elle	donne	répond	finit
Plural			
1st person (we) nous	donnons	répondons	finissons
2nd person (you) vous	donnez	répondez	finissez
3rd person (they) ils/elles	donnent	répondent	finissent

3.2 Le passé composé

The perfect tense (*passé composé*) is used for an action that took place on one occasion in the past:

Je suis allée en Afrique avec mes parents.
I went to Africa with my parents.

The perfect tense is formed with an auxiliary verb (**avoir** or **être**) and the past participle. For example: J'ai fait; Il est allé.

The auxiliary verbs:

Most verbs use **avoir** to make the perfect tense, so you don't need to learn a list of these.

These verbs use **être**:

(a) all reflexive verbs

(b)
aller – venir	arriver – partir	entrer – sortir
monter – descendre	rester – tomber	mourir – naître
retourner		

(c) all verbs 'made up' from the verbs in (**b**), such as: rentrer; devenir; revenir; remonter.

To form the past participle:

(a) -er verb: donner — take the **-er** off the infinitive: donn er
and add **-é**: donné

(b) -re verb: répondre — take the **-re** off the infinitive: répond re
and add **-u**: répondu

(c) -ir verb: finir — take the **-r** off the infinitive: fini r
fini

N.B. Verbs with **être**:
The past participle 'agrees' with the subject. If the person or thing doing the action is
feminine: add **-e**   je suis allée
masculine plural: add **-s**   vous êtes allés
feminine plural: add **-es**   elles sont allées

3.3 L'imparfait

The imperfect is used for an action in the past:
(a) if the action is interrupted or incomplete;
(b) if it lasts a long time;
(c) if it is repeated.

The imperfect is formed from the **nous** form of the present tense (**jouons, buvons, faisons, etc.**). Take off the **-ons** and add:

je	...ais	nous	...ions
tu	...ais	vous	...iez
il/elle	...ait	ils/elles	...aient

3.4 Le futur

The future tense is used to talk about an action taking place in the future:

J'irai en France. Je recevrai une lettre. Je ferai mes devoirs.

As in English, you can also use the near future or *futur proche* for something you are going to do soon:

Je vais faire mes devoirs.

N.B. Note the pattern used with **quand** (when):

J'achèterai le pull-over quand tu me donneras l'argent.
I will buy the jersey when you (will) give me money.

The future is formed by using these endings:

je	...ai	nous	...ons
tu	...as	vous	...ez
il/elle	...a	ils/elles	...ont

The endings are added to the different groups of verbs as follows:

(a) -er verb: acheter take the **je** form of the present: achète
add **-r**: achèter
and add the ending: achèterai etc.

(b) -re verb: vendre take the infinitive: vendre
take off the **-e**: vendr e
and add the ending: vendrai etc.

(c) -ir verb: sortir take the infinitive: sortir
and add the ending: sortirai etc.

Examples:

je mangerai; tu répondras; il finira

3.5 Le conditionnel

The conditional is used to say what you 'would' do:

Je voudrais du thé. Il pourrait m'aider. J'aimerais aller en Afrique.

It is formed in the same way as the future, but with these endings (which are the same as the imperfect endings):

je	...ais	nous	...ions
tu	...ais	vous	...iez
il/elle	...ait	ils/elles	...aient

4   Avoir, être and aller

Présent

avoir (to have)	être (to be)	aller (to go)
j'ai	je suis	je vais
tu as	tu es	tu vas
il/elle a	il/elle est	il/elle va
nous avons	nous sommes	nous allons
vous avez	vous êtes	vous allez
ils/elles ont	ils/elles sont	ils/elles vont

Passé composé

j'ai eu	j'ai été	je suis allé(e)

Imparfait

j'avais	j'étais	j'allais

Futur

j'aurai	je serai	j'irai

Conditionnel

j'aurais	je serais	j'irais

5   Tableaux de conjugaison   *Conjugation tables*

5.1   Verbes réguliers

This table gives an example of each of the three categories of regular verbs and one reflexive verb.

Infinitif	Présent	Passé composé	Imparfait	Futur	Conditionnel
donner	donne, donnes, donne, donnons, donnez, donnent	j'ai donné	je donnais	je donnerai	je donnerais
répondre	réponds, réponds, répond, répondons, -ez, ent	j'ai répondu	je répondais	je répondrai	je répondrais
finir	finis, finis, finit, finissons, -ez, -ent	j'ai fini	je finissais	je finirai	je finirais
se laver	me lave, te laves, se lave, nous lavons, vous lavez, se lavent	je me suis lavé(e)	je me lavais	je me laverai	je me laverais

5.2 Verbes irréguliers
These are the irregular verbs which you are most likely to meet.

Infinitif	Présent	Passé composé	Imparfait	Futur	Conditionnel
boire	bois, bois, boit, buvons, -ez, boivent	j'ai bu	je buvais	je boirai	je boirais
devoir	dois, dois, doit, devons, -ez, doivent	j'ai dû	je devais	je devrai	je devrais
dire	dis, dis, dit, disons, dites, disent	j'ai dit	je disais	je dirai	je dirais
écrire	écris, écris, écrit, écrivons, -ez, -ent	j'ai écrit	j'écrivais	j'écrirai	j'écrirais
essayer	essaie, essaies, essaie, essayons, -ez, essaient	j'ai essayé	j'essayais	j'essaierai	j'essaierais
faire	fais, fais, fait, faisons, faites, font	j'ai fait	je faisais	je ferai	je ferais
lire	lis, lis, lit, lisons, -ez, -ent	j'ai lu	je lisais	je lirai	je lirais
manger	mange, manges, mange, mangeons, -ez, -ent	j'ai mangé	je mangeais	je mangerai	je mangerais
mettre	mets, mets, met, mettons, -ez, -ent	j'ai mis	je mettais	je mettrai	je mettrais
ouvrir	ouvre, ouvres, ouvre, ouvrons, -ez, -ent	j'ai ouvert	j'ouvrais	j'ouvrirai	j'ouvrirais
pouvoir	peux, peux, peut, pouvons, -ez, peuvent	j'ai pu	je pouvais	je pourrai	je pourrais
prendre	prends, prends, prend, prenons, -ez, prennent	j'ai pris	je prenais	je prendrai	je prendrais
recevoir	reçois, reçois, reçoit, recevons, -ez, reçoivent	j'ai reçu	je recevais	je recevrai	je recevrais
savoir	sais, sais, sait, savons, -ez, -ent	j'ai su	je savais	je saurai	je saurais
tenir	tiens, tiens, tient, tenons, -ez, tiennent	j'ai tenu	je tenais	je tiendrai	je tiendrais
vouloir	veux, veux, veut, voulons, -ez, veulent	j'ai voulu	je voulais	je voudrai	je voudrais
venir	viens, viens, vient, venons, -ez, viennent	je suis venu(e)	je venais	je viendrai	je viendrais
voir	vois, vois, voit, voyons, -ez, voient	j'ai vu	je voyais	je verrai	je verrais

Vocabulaire français–anglais

Starred words and expressions are slang, and you should avoid using them yourself.

A

à mon avis – in my opinion

à tour de rôle – in turn, take turns

à tout à l'heure! – 'bye!

abattre – to chop down

aux abois – at their wits' end

accéder à – to accede, give in to

accueillir – to receive, welcome

acheter – to buy

acteur/actrice – actor/actress

les actualités (f) – news

les ados/adolescent(e)s – teenagers

aimable – friendly

aîné(e) – older (brother/sister)

ajouter – to add

allonger – to extend

allumer – to light, switch on

alors – then

un amateur de sport – fan/lover of sport

l' ambiance (f) – atmosphere

ami(e) – friend

un âne – donkey

une année – year

une année bissextile – leap year

les Antilles – the Antilles (Caribbean Islands)

apercevoir – to observe, see

appartenir à – to belong to

appétissant(e) – appetising

apprendre – to learn, teach, hear of

s' approcher (de) – to approach

après – after

une armoire – wardrobe

arracher – to pull up/out

(s') arrêter – to stop

un aspirateur – vacuum cleaner

assaisonner – to season, flavour

assez – quite/enough

un astre – heavenly body

un atelier – workshop

attendre – to wait for, expect

atterrir – to land

attirer – to attract

(ne) aucun(e) – none, no

aujourd'hui – today

aura (avoir) – (s/he) will have

aussi – also

un auteur – author

autour (de) – around

avaler – to swallow, gobble

avant (de) – before

avec – with

B

bâiller – to yawn

baisser – to lower

la baleine à bosse – hump-backed whale

le baleineau – whale calf

la barre de fer – iron bar

le bâtiment – building

battre – to hit, shuffle cards

bavard(e) – talkative

beaucoup (de) – much, a lot (of)

j'ai besoin de – I need

le bidon – metal container, * rubbish (adj.)

la blague – joke, trick

blesser – to wound

le blouson – bomber jacket

en bois – wooden

la boîte – box, night club

la bouche – mouth

bouche bée – open-mouthed

le bouchon – cork, top, traffic jam

le boucle – loop, circuit

le boulanger – baker

branché(e) – switched on, trendy

la brosse – brush

en brosse – crew-cut

le bruit – noise

brûler – to burn

brûler le feu rouge – to jump the lights

bruyant(e) – noisy

le bureau – office, desk

C

le cabinet médical – surgery

cacher – to hide

câlin(e) – cuddly

le camion – lorry

camoufler – to camouflage

la canette de bière – can of beer

la cantine – canteen, dining room

le car de ramassage – school bus

car – for, because

le carrefour – crossroads

carrément – squarely, bluntly

casser – to break

celui/celle qui – the one who/which

le cerveau – brain

ceux/celles qui – those who/which

la chaîne – chain, TV channel

le champ – field

chanteur/chanteuse – singer

chaque – each

charger – to load

châtain(e) – chestnut

chaud(e) – warm, hot

le chauffage – heating

la chemise – shirt

le chemisier – blouse

cher/chère – dear, expensive

le chevalet – easel

chômeur/se – unemployed person

au chômage – unemployed

chouette – super

la cible – target

la circulation – traffic

clair(e) – light, clear

claquer la porte – to bang the door

le clavier – keyboard

la clique – gang

cocher – to tick

le coeur – heart

se coiffer – to do your hair

coller – to stick

la colline – hill

commander – to order

la commode – chest of drawers
le concours – competition
la confiance – confidence
connaître – to know
consacrer à – to devote to, spend on
conseiller – to advise
construire – to build
le contraire – opposite
contre – against
convaincre – to convince, persuade
le corail – coral
costaud(e) – strong, sturdy
à côté de – beside, next to, near
la couche d'ozone – ozone layer
se coucher – to go to bed
coulissant(e) – sliding
coupable – guilty
la coupe du monde – the world cup
la cour – school yard
courbe – curved
le cours – lesson
court(e) – short
crever – to tear, burst, puncture
critiquer – to criticise
croiser – to cross
cueillir – to pick
cuire – to cook, bake

D
dans – in
davantage – more
se débarrasser de – to get rid of
le déboisement – cutting down of trees, deforestation
déborder – to overflow
se débrouiller – to manage, get by
débutant(e) – beginner
débuter – to begin
décédé(e) – deceased, died
décoller – to take off
déconseillé(e) – not recommended, warned against
décontracté(e) – relaxed
découper – to cut out
le défaut – fault
c'est défendu – it's forbidden
défense de (fumer) – (smoking) forbidden

le défilé de mode – fashion parade
dehors – outside
demain – tomorrow
démarrer – to set off, start up
dépasser – to overtake
se dépêcher – to hurry up
dépenser – to spend
se dépenser – to exert oneself
depuis – since
derrière – behind
dès que – as soon as
le dessin animé – cartoon (film)
détruire – to destroy
devant – in front (of)
devenu(e) – become
disparaître – to disappear
le doigt de pied – toe
le domicile – home
dont – of which
dos à dos – back to back
doux/douce – soft
le drapeau – flag
le droit (de) – the right (to)
drôle – funny
dur(e) – hard

E
l' éclairage (m) – lighting
éclater – to burst, have fun
écossais(e) – Scottish, tartan
un écran – screen
écraser – to crush, run over
une écurie – stable
effacer – to delete
égal(e) – equal, the same
ça m'est égal – it's all the same to me
l' égoïsme (m) – selfishness
ça m' embête – it annoys me
une émission – (TV) programme
emmener – to take (person)
empêcher – to prevent
emporter – to take, carry
s' empresser – to rush
un(e) émule – follower, disciple
émuler – to copy, emulate
en – (one/any) of them, (some) of it
en tout cas – anyway, in any case
s' énerver – to get mad/irritated
* engueuler – to shout at
une énigme – puzzle, riddle

ennuyeux/se – boring
enregistrer – to record
ensuite – next, then
entendre – to hear
entièrement – entirely
une entorse – sprain
entouré(e) par – surrounded by
un entrepreneur – builder (who has own business)
entretenir – to maintain
environ – about
envoyer – to send
épais(se) – thick
éplucher – to peel
mon époque – my times
une épouse – wife
une épreuve – test
l' équilibre – balance
une équipe – team
un escalier – staircase, stairs
l' espace – space
une espèce – species
essayer – to try, try on
l' estomac – stomach
une étagère – shelf, bookcase
une étape – stage
un état – state
l' été – summer
éteindre – to put out, extinguish
une étiquette – label
une étoile – star
à la belle étoile – under the stars
étrange – strange
étroit(e) – narrow
étudier – to study
éviter – to avoid
exprimer – to express

F
facile – easy
de toute façon – anyway
facteur/trice – postman/woman
la faillite – bankruptcy
la faim – hunger
fana de – mad about
farfelu(e) – scatty
il faut – you have to/must
favoriser – to help, make easier
félicitations! – congratulations!
la fermeture éclair – zip
fermier/ière – farmer
une feuille – leaf, page
feuilleter – to leaf through
le feuilleton – soap opera (TV)

153

le fichier – file
le filet – net
le fleuve – river
le foie – liver
la fois – time
une fois – once
fort(e) – strong
une framboise – raspberry
frapper – to hit
le frein – brake
fréquenter – to attend
mes fringues – my gear/clothes
frisé(e) – curly
frotter – to rub
fumer – to smoke
une fusée – rocket

G

gagner – to win
la gamme de produits – range of products
garder – to keep
garer – to park (car)
la Garonne – a river in France
le gaspillage – waste
* gauler – to beat up
le gazon – lawn
gênant(e) – annoying
génial(e) – super, very good, friendly
le genre – type
le gilet – cardigan, knitted jacket
le gîte – holiday home
les glucides – sugars
le goëland – seagull
gourmand(e) – greedy
la gousse d'ail – clove of garlic
goûter – to have a snack/tea
la graisse – grease, fat
le graphique – graph
faire la grasse matinée – to sleep in
grave – serious
la grenouille – frog
griller – to grill, barbecue
le grillon – cricket, grasshopper
grincheux/se – grumpy
le * gros dur – tough guy
grossir – to get fat
* gueuler – to shout, bawl
* ferme ta gueule! – shut your mouth!

H

hausser les épaules – to shrug
heurter – to collide (with)
un hexagone – a six-sided figure
hier – yesterday
l' hiver (m) – winter
l' humeur (m) – mood

I

il y a (trois ans) – (three years) ago
une île – island
imprévu(e) – unexpected
une imprimante – printer
imprimé(e) – printed, patterned
imprimer – to print
un incendie – fire
incroyable – unbelievable, amazing
indélébile – indelible
infirmier/ière – nurse
ingénieur – engineer
instituteur/trice – primary school teacher
interdit(e) – forbidden
l' Islande (f) – Iceland
islandais(e) – Icelandic
un itinéraire – route

J

la jalousie – jealousy, window blind
jamais – ever
(ne) jamais – never
jeter – to throw
jeune – young
joli(e) – pretty
juger – to judge
jumelé(e) – twinned

L

en laine – woollen
lancer – to throw, launch
aux larmes – in tears
le lecteur – disk drive, reader
léger/ère – light
lentement – slowly
lequel/laquelle – the one which, which one?
la lessive – washing, laundry
leur – to them, of them, their
se lever – to get up
libre à eux (de) – let them, up to them (to)

lié(e) – bound, tied
le lieu – place
au lieu de – instead of
le lit – bed
le logiciel – (piece of) software
loin d'ici – far from here
la longueur – length
le lotissement – housing estate
le loup – wolf
* louper le car – to miss the bus
lourd(e) – heavy
lui – (to) her/him
la lumière – light

M

le maillot – cycling shirt, sports shirt, swimming costume
maintenant – now
mais – but
malheureusement – unfortunately
la Manche – the English Channel
le manque – lack
la mansarde – attic
le maquillage – make-up
la marque – brand
marquer (un but) – to score (a goal)
j'en ai * marre de – I'm fed up with
marron – brown
mauvais(e) – bad
le * mec – bloke
le médecin – doctor
meilleur(e) – bettter
le/la meilleur(e) – the best
mélanger – to mix
le ménage – housework
mesurer – to measure
le métier – job
se mettre à – to begin
meurent (mourir) – (they) die
à mi-temps – part-time
mignon(ne) – sweet, cute
le mil – millet
au milieu de – in the middle of
des milliers (de) – thousands (of)
mince – thin
le miroir – mirror
la mode – fashion
le mode de vie – way of life

la moitié – half
montrer – to show
se moquer de – to laugh at
la moquette – carpet
la mort – death
un motif – pattern, logo
les moufles (f) – mittens
moyen(ne) – average
le moyen (de) – means (of)
myope – short-sighted

N

la naissance – birth
la navette – shuttle
néanmoins – nevertheless
neuf/neuve – new
le neveu – nephew
nigaud(e) – foolish, booby
le niveau – level
le noeud – knot
la noisette – hazelnut
la noix de muscade – nutmeg
nourrir – to feed, nourish
la nourriture – food

O

une oeuvre – work (of art)
les ongles (m) – (finger)nails
un orage – storm
un ordinateur – computer
les ordures (f) – rubbish
l' orthographe (f) – spelling
oser – to dare
ou – or
où? – where?
outre – besides, as well as

P

le panneau – (road) sign
la pantoufle – slipper
le papillon – butterfly
par ailleurs – besides, moreover
par la suite – later on, then
par-dessus – on top (of)
parce que – because
paresseux/se – lazy
parfois – sometimes
parme – violet
parmi – amongst
parsemer (de) – to sprinkle (with)
partager – to divide/share
la parterre (de fleurs) – flower bed
partout – everywhere
pas – not
le pâturage – pasture
la paume (des mains) – palm (of the hands)

les paupières (f) – eyelids
le péage – motorway toll
la peau – skin
le peigne – comb
le peintre – painter
le pelage – coat, fur
la pelleteuse – excavator
la pellicule – film
pendant – during, while
le périphérique – ring road
la perruque – wig
peser – to weigh
à peu près – about, approximately
le piéton – pedestrian
la pile – battery
en pin – in pine
la pincée de sel – pinch of salt
le * pion – supervisor
le pion – pawn, counter
pire – worse
le pire – the worst
le placard – cupboard
le plafond – ceiling
la plante des pieds – the sole of the feet
les arts plastiques – sculpture
plein(e) – full
la plomberie – plumbing
la pluie – rain
la plupart de – the majority of, most of
plus (de) – more
plusieurs – several
le pneu – tyre
le poids – weight
le poids lourd – lorry
la poignée – handful
le poil – hair, fur
la pointure – (shoe) size
à pois – spotted
porter – to carry, wear
porter plainte – to complain
le potage – soup
la poubelle – dustbin
les poumons (m) – lungs
pourquoi? – why?
pourrait (pouvoir) – (s/he) could
au premier étage – on the first floor
prendre – to take
près (de) – near (to)
prévoir (prévu) – to foresee
le printemps – spring
la route prioritaire – main road
profond (e) – deep

protéger – to protect
la pub (publicité) – advertising
la puce – (computer) chip, flea
puis – then
le puits – (village) well

Q

que – which
quel/quelle? – which?
quelquefois – sometimes
quelqu'un – someone
la queue – queue, tail
qui – who

R

la racine – root
le racket – bullying
racketteur/euse – bully
rajouter – to add
la randonnée – hike, long walk
râpé(e) – grated
raté(e) – missed, spoiled
ravi(e) – delighted
à rayures – striped
réagir – to react
rechercher – to look for
reconnaître – to recognise
récupérer – to get back, recover, collect
rédacteur/trice – editor
réduire – to reduce
le régime – diet
les reins (m) – kidneys
remercier d'avance – to thank in advance
remplir – to fill
remuer – to stir, move
rencontrer – to meet
renfermé(e) – shut in, withdrawn
le renseignement – (piece of) information
renverser – to knock over, spill
le repas – meal
répéter – to repeat, rehearse
la représaille – reprisal
respirer – to breathe
le/la responsable – the person in charge
retraité(e) – retired person
réussir – to succeed
le réveil – alarm clock
le réverbère – street light
le rez-de-chaussée – ground floor
le rhume – a cold

c'est rigolo – it's fun/funny
le riz – rice
la robe – dress
ronger – to bite (nails), to gnaw at
la roue – wheel
rougir – to blush
rouler – to roll, drive

S

le sable – sand
les sabots (m) – clogs
la sacoche – saddle bag, pannier
sain(e) – healthy
le saison – season
la * saloperie – filth, rubbish
le sang – blood
sans – without
le sapin – fir tree
sauf – except
sauter – to jump, skip
sauvegarder – to save, safeguard
sauver – to save, rescue
le savon – soap
sec/sèche – dry
la sécheresse – dryness, drought
secouer – to shake
selon – according to
le sens unique – one-way street
sentir – to smell, feel
seul(e) – alone
seulement – only
le siècle – century
siffler – to whistle
sobrement – soberly, quietly
avec soin – carefully
le sol – earth, ground, soil
sonner – to ring
le sou – penny

la soucoupe volante – flying saucer
sourire – to smile
se souvenir (de) – to remember
souvent – often
stationner – to park (car)
la sueur – sweat
suivi(e) par – followed by
la superficie – surface (area)
surtout – above all, especially

T

la tache – mark, stain
les taches de rousseur – freckles
la tâche – task
tacheté(e) – spotted
la taille – size
se taire – to keep quiet, shut up
tapoter – to tap
tard – late
tendre – tender
tenir (tenu) – to hold, keep
tenter – to tempt, attempt
la tenue – outfit
terminé(e) – finished, over
se terminer par – to end with
le timbre – stamp
tirer – to pull
le tiroir – drawer
la tisane – herbal tea
le titre – title, headline
la toile – canvas
tondre – to cut (grass)
tordre – to twist
le tournesol – sunflower
tout de suite – straight away
tout le monde – everybody
traîner – to pull, drag, hang around

le traitement de textes – word processing
la tranche – slice
les travaux (m) – (road) works
traverser – to cross
le tremblement de terre – earthquake
très – very
tricoter – to knit
se tromper – to be mistaken
le trou – hole
le truc – thing
tutoyer – to use the 'tu' form

U

uni(e) – plain, of one colour
une usine – factory
utiliser – to use

V

la vache – cow
le vaisseau spatial – space ship
la vaisselle – dishes, washing up
vaniteux/se – vain
le vélux – skylight
vendeur/se – salesperson
venir de (partir) – to have just (left)
la viande – meat
vider – to empty
la vie – life
vieux/vieille – old
le visage – face
la vitesse – speed, gear
la voie – track, lane (of road)
voisin(e) – neighbour
voler – to steal, fly
la volonté – will, wish
vouvoyer – to use the 'vous' form
le voyou – lout

Vocabulaire anglais–français

Numbers after irregular verbs refer to the section of the *Grammaire* where they are set out.

A

a – un/une
to be able to – pouvoir (5.2)
to add – ajouter
(I am) afraid of ... – (j'ai) peur de ...
after – après
afternoon – après-midi (*m*)
I agree – je suis d'accord
agreed – d'accord
alone – seul(e)
also – aussi
another – encore un(e)
they are – ils/elles sont (être: 4)
are you? – es-tu? êtes-vous?
to arrive – arriver
to ask – demander

B

bag – le sac
beautiful – beau/belle
because – parce que
bedroom – la chambre
before – avant
behind – derrière
beside – à côté de
between – entre
big – grand(e)
black – noir(e)
boy – le garçon
my boyfriend – mon petit ami
but – mais
to buy – acheter (j'achète/j'ai acheté)

C

to carry – porter
(I am) cold – (j'ai) froid
in the country – à la campagne

D

day – le jour
the whole day – la journée
dear – cher/chère
to do – faire (5.2)
to drink – boire (5.2)

E

each – chaque
each one – chacun(e)
to eat – manger (5.2)
especially – surtout
evening – le soir

this evening – ce soir
every – chaque
every day – tous les jours
except – sauf

F

favourite – préféré(e)
first – premier/première
for (me) – pour (moi)
friend – le copain/la copine, l'ami(e)
in front of – devant

G

girl – la fille
my girlfriend – ma petite amie
to give – donner
to go – aller (4)
to go out – sortir (je sors/je suis sorti(e))
ground floor – le rez-de-chaussée

H

I had – j'avais (avoir: 4)
to have – avoir (4)
to have to – devoir (5.2)
I have a headache – j'ai mal à la tête
I haven't a ... – je n'ai pas de ...
have you ...? – as-tu ...?/ avez-vous ...?
he – il
to help – aider
her – son/sa/ses
his – son/sa/ses
home/at my house – chez moi
house – la maison
how? – comment?
(I'm) hungry – (j'ai) faim

I

if – si
ill – malade
in – dans
is – est

L

to laugh – rire (je ris/j'ai ri)
lazy – paresseux/se
to leave – partir (je pars/je suis parti(e))

on the left – à gauche
less – moins
to like/love – aimer
to listen – écouter
I love you – je t'aime

M

man – un homme
to meet – se retrouver
we'll meet – on se retrouve
it's mine – c'est à moi
money – l'argent (*m*)
more – plus
morning – le matin
I must – je dois (devoir: 5.2)
my – mon/ma/mes

N

near – près de
(I) need – (j'ai) besoin de
next to – à côté de
nice – beau/belle, gentil(le)
now – maintenant

O

on – sur
only – seulement
open – ouvert(e)
opposite – en face du/de la/des
or – ou

P

perhaps – peut-être
to play – jouer
please – s'il te/vous plaît
present – le cadeau (des cadeaux)
put (on) – mettre (5.2)

Q

quelque chose – something
quite – assez

R

rain – la pluie
it's raining – il pleut
it was raining – il pleuvait
to read – lire (5.2)
to return – rentrer
right/correct – vrai(e)
on the right – à droite

S

to say – dire (5.2)

at the seaside – au bord de la mer
to see – voir (5.2)
she – elle
short – court(e)
to sing – chanter
small – petit(e)
someone – quelqu'un
something – quelque chose
to stay – rester
still – encore
strong – fort(e)
sun – le soleil
super! – génial! fantastique!
to swim – nager

T
to take – prendre (5.2)
thank you – merci
the – le/la
their – leur(s)
then – puis, alors
there is/there are – il y a
thin – mince
to think – penser
(I am) thirsty – (j'ai) soif
(I am) tired – (je suis) fatigué(e)

to (to the) – à (au/à l'/aux)
today – aujourd'hui
tomorrow – demain
too – trop
me too! – moi aussi!
towel – la serviette
in town – en ville
tree – un arbre
fir tree – le sapin
to try – essayer (5.2)

U
under – sous

V
very – très
to visit – visiter

W
to wake up – se réveiller
to want – vouloir (5.2)
I want to – j'ai envie de
warm – chaud(e)
I was – j'étais (être: 4)
s/he was – il/elle était (être: 4)
to wash – laver
to wash oneself – se laver
to watch – regarder
water – l'eau (f)

we are going – nous allons, on va
week – la semaine
what is it? – qu'est-ce que c'est?
when? – quand?
where? – où?
which? – quel(le)?
white – blanc(he)
who? – qui?
why? – pourquoi?
with – avec
without – sans
to work – travailler
I would like – je voudrais (vouloir: 5.2)
to write – écrire (5.2)

Y
yes – oui
yes, I do – si
yesterday – hier
(not) yet – (pas) encore
you – tu (*verb usually ends in* -s)
vous (*verb usually ends in* -ez)

Les instructions

A deux	In pairs
Cache la page	Hide the page
Cherche les mots inconnus	Look for the unknown words
Choisis	Choose
Coche sur votre liste	Tick on your list
Compare tes résultats	Compare your results
Complète l'histoire	Complete the story
Copie et complète	Copy and complete
Corrige les phrases	Correct the sentences
Décris	Describe
Dessine	Draw
Donne des instructions	Give instructions
Donne trois conseils	Give three pieces of advice
Ecoute une deuxième fois	Listen a second time
Ecoute et remplis la grille	Listen and complete the grid
Ecris des renseignements	Write some information
Ecris un (petit) rapport/résumé/texte	Write a (short) report/summary/text
Encore une fois	Once more
Fais la liste	Write/Make a list
Fais une maquette	Make a mock-up/sketch
Fais un petit portrait	Write a description
Fais un plan	Draw/Make a map
Fais une pub	Create an advertisement
Fais des recherches	Do some research
Ferme le livre	Close the book
Jeu de rôles	Role-play
Lire et deviner	Read and guess
Lis et comprends	Read and understand
Lis la liste	Read the list
Note les mots/réponses	Write down the words/answers
Prépare	Prepare
Quel est le meilleur?	Which is the best?
Quelles images correspondent à ...?	Which pictures match ...?
Rappel	Reminder
Traduis-les	Translate them
Travaille ce dialogue	Act out the dialogue
Trouve le bon titre	Find the right word(s)
Trouve les légendes	Find the captions
Vérifie avec un(e) partenaire	Check with a partner

Phrases utiles

Est-ce que je peux ...?	May I ...?
Je ne comprends pas	I don't understand
Il/Elle ne comprend pas	He/She doesn't understand
Je ne le sais pas	I don't know
Est-ce que vous pouvez m'aider?	Can you help me?
Je n'ai pas de ...	I haven't a ...
Il/Elle a pris mon/ma/mes ...	He/She has taken my ...
C'est à quel page?	Which page is it?
J'ai fini	I have finished
Je n'ai pas fini	I haven't finished
Qu'est-ce que je fais maintenant?	What do I do now?
Comment ça s'écrit en français?	How do you spell that in French?
Qu'est-ce que c'est en anglais?	What is that in English?
J'ai besoin ...	I need ...
d'une feuille de brouillon	some scrap paper
d'un petit dico	a dictionary
d'un(e) partenaire	a partner
d'un livre/d'un crayon	a book/a pencil
d'une cassette/d'une disquette	a cassette/a diskette